ВЫСОКИ

КНИГИ
ИРИНЫ МУРАВЬЁВОЙ —
ПОДЛИННОЕ УКРАШЕНИЕ
ВАШЕЙ БИБЛИОТЕКИ,
ИЗЫСКАННАЯ ПРОЗА
ДЛЯ НАСТОЯЩИХ ГУРМАНОВ
В ЛИТЕРАТУРЕ:

- Любовь фрау Клейст
- Веселые ребята
- Портрет Алтовити
- День ангела
- Напряжение счастья
- Сусанна и старцы
- Жизнеописание грешницы Аделы
- Отражение Беатриче
- Страсти по Юрию

СЕМЕЙНАЯ САГА:

- Барышня
- Холод черемухи
- Мы простимся на мосту

ИРИНА
МУРАВЬЁВА

ЖИЗНЕОПИСАНИЕ ГРЕШНИЦЫ АДЕЛЫ

ЭКСМО
МОСКВА

УДК 82-3
ББК 84(2Рос-Рус)6-4
М 91

Художественное оформление серии
Виталия Еклериса

Муравьева И.

М 91 Жизнеописание грешницы Аделы : рассказы и повести / Ирина Муравьева. — М. : Эксмо, 2012. — 288 с. — (Высокий стиль. Проза И. Муравьевой).

ISBN 978-5-699-59392-7

В ранней юности Адела прошла через гетто и выработала в душе не страх, не послушание, а ослепительную силу жизни. Талант опереточной актрисы — не более чем слабое отражение ее незаурядного жизненного таланта, настолько же яркого и великодушного, насколько злого и мелочного. Если бы характер Аделы распространился на земле, то наше существование состояло бы исключительно из жертв, страстей и желания мести. Тем более странно, что Муравьевой удается убедить читателя в том, что этой ее героине, написанной на стыке гротеска и беспощадной точности, знакома любовь...

УДК 82-3
ББК 84(2Рос-Рус)6-4

ISBN 978-5-699-59392-7

ЖИЗНЕОПИСАНИЕ ГРЕШНИЦЫ АДЕЛЫ

Был хороший провинциальный город, зеленая и мирная австрийская провинция. Явились румыны в своих этих шапках, усатые, смуглые, без церемоний. Сказали, что это — их город. Ну, пусть. Как жили, так жили. Румыны, австрийцы... А куры на рынке — все те же, петрушка — все та же.

Еврейские мальчики учились в австрийской гимназии — как она была австрийской, так и осталась, — читали Гомера, зубрили Горация. Кричали друг другу на чистой латыни: «Veni! Vidi! Vici!» А после дрались беззаботно. Ходили к молочнице, маленькой, доброй и сморщенной, вроде подгнившего яблока. Молочницу звали фрау Гавричек. Когда бы она дожила до сегодня, ей было бы... сколько? О, много. Не меньше, чем сто пятьдесят. А жаль, что она померла. Когда помирают такие вот тихие, смирные люди, особенно грустно: добра в жизни меньше.

У фрау Гавричек был подвал, заставленный банками с молоком. Молоко сворачивалось, потом становилось сметаной и творогом. Мальчики в серых гетрах и тяжелых башмаках играли на поле в футбол. Зеленое поле пропахло их по́том. Фрау Гавричек приставляла ладонь к глазам и звонко кричала:

— Попить не хотите?

Мальчики вытирали пот под волнистыми волосами; хрипя и откашливаясь, бросались в студеный подвал.

— Ах, мейн Готт! — восклицала фрау Гавричек. — Вы все мне побьете! Мейн Готт!

В подвале доставала белые кружки, доверху наполняла их свежим кефиром. Переступая своими тяжелыми башмаками, мальчики пили солидно, большими глотками. Потом убегали обратно на поле.

Адела слушала рассказы об умершей к тому времени фрау Гавричек в таком же подвале. Рукой прикрывала звезду на нестираной кофте. Звезда была желтой, а грудь — сильной, жадной, большой, выразительной лепки. И все было сильным, особенно взгляд — чернее парны́х вечеров Буковины, когда ни звезды, ни луны, только шум: не то это ветки шумят по дубравам, не то на горах, скрытых мраком, резвятся кудрявые ангелы — мертвые детки. В подвале Аделу и мать вместе с отчимом спрятала молдавская семья. Еще одни добрые люди. Адела однажды припала губами к руке молдаванина. Рука была черной, в больших заусенцах. Старик-молдаванин немного смутился.

— Зачем вы нас прячете? Вас же убьют! — сказала Адела.

— Успеешь еще умереть. Молодая, — сказал молдаванин.

В подвале прожили три года. За это время ненависть к тем, из-за которых она три года не видела солнца, стала такой горячей, что Аделе никогда не бывало холодно. Чем больше ты их ненавидишь, тем жарче. С таким вот нутром вышла из подземелья. Красавица — вся, только росту большого. И ноги большие, и руки. А кудри! Из этих кудрей свить петлю да набросить на шею коня — конь повалится сразу.

Войны уже не было. Немцев прогнали, румынов прогнали. Осталась родная советская власть. Однако базар был все тем же, петрушка все та же. Кур резали так, как Марат с Робеспьером своих неугодных французских сограждан: головку на плаху — и нету головки. Бежит по базару багровая птица, из шеи фонтанчик. Куда ты, наседка? Тебя больше нету!

Адела же пела, училась вокалу. Прекрасный был голос, густой и богатый. Вокруг говорили: «Дай Бог ей здоровья! Наверное, станет московской певицей!»

В Москву Адела поехала поступать в консерваторию. В Москве тогда жил ее брат. Когда-то он очень несчастно женился, страдал, но весной того года судьба пожалела его: встретил девушку. Теперь нужно было бы снова жениться, но как, если нету развода?

Иногда кажется, что многие люди появляются на свете случайно. Вот, скажем, война, и какой-нибудь Фридрих спит с русой какой-нибудь девушкой Нюрой. А может, не Фридрих с ней спит. И не с Нюрой. Но звезды на небе вдруг вздрогнут: случилось! Сменяются три быстрых времени года: простреленный Фридрих гниет в чистом поле, а Нюра пугливо качает младенца. Случайность? Да как посмотреть... Вот и здесь похожая история. Старший брат Аделы случайно оказался в Москве. Он оказался в Москве, а в это же самое время его одноклассников, голых, костлявых, сгоняли в просторные камеры «мыться». Не всех. Потому что другие кричали: «За Родину-у-у-! У-у! За Сталина-а-а! А-а!» Одни докричали, другие сгорели. Но так всё на свете: один прогорает, другой проедает, а после — все вместе, и кости смешались. Чернеет земля, орошенная ливнем.

Аделин брат прямо с фронта был отправлен в Сибирь, где долго валил русский лес на морозе. Считался, однако, не зэком, а ссыльным. И в той же Сибири прибился к семейству. Его подкормили, его приласкали. В семействе две дочки. Окончили школу, а тут и война. Собрались, поехали в эвакуацию. О грустная, грустная жизнь человечья! Подхватит тебя, как песчинку, и ветром, и бурей, со стоном и звоном уносит куда-то. Вернешься? Кто знает... Молись и терпи.

Обласканный брат очень вскоре женился на младшей, Ревекке, родил с нею сына, и все они вместе вернулись в Москву. Младенец был худеньким, голубоглазым, отец грел его на вокзалах дыханьем.

Еще прошло время. Москва, все чужое. Ревекка не любит его, он — Ревекку. Ребенок растет, очень худенький, хрупкий. И вдруг эта девушка с ласковым смехом... Но главное: взгляд, светло-серый, целебный. Он начал метаться от девушки к сыну, потом заявил, что уходит из дому. Тесть, маленький, умный, в атласной ермолке, сказал, что раз так — сына он не увидит. А тут ко всему приезжает Адела. Ревекка не очень страдала. Ревекка была равнодушна и к браку, и к мужу, и к дому, и к сыну, но музыку искренно, страстно любила. Поэтому когда он, наполовину ушедший от жены, от отца жены, от матери жены, от старшей сестры жены и только не знающий, как же быть с сыном, сказал, что Адела приедет учиться, Ревекка, жена, равнодушная к мужу, сказала, что в *этом* всегда ей поможет.

Но именно в консерватории, то есть в самой что ни на есть сердцевине возвышенного, и случился тот скандал, который изуродовал Аделину жизнь. В приемной, где сидели молодые юноши и девушки в ожидании прослушивания, одна из этих совсем молодых, свежих девушек, которых судьба еще не обижала, вдруг громко сказала в затылок Аделе:

— А эта жидовка что здесь потеряла?

И тут же настало возмездие. Большая, белее, чем снег Буковины, Адела, обернувшись, так мощно обрушилась на тщедушную, в лимонных кудрях, слаборукую девушку, что кровь, хлынувшая из этой девушки, закрасила мокрым и жирным ковер (который был красным, но много бледнее), и грудь слаборукой, и всех, кто вмешаться хотел в это дело. Она избила свежую девушку с такою недевичьей яростной силой, как будто вернулись все те, кто хотел, чтоб мать, и Адела, и отчим Аделы остались навеки в молдавском подвале.

Вызвали милицию. В консерватории, где люди должны услаждать друг друга звуками Моцарта и Бетховена, случилось буквальное кровопролитье. Аделу впихнули в большую машину, и брат ее был вскоре вызван в милицию. Могли посадить, могли дело затеять: с лимонными прядями, та, слаборучка, лежала в медпункте и громко стонала. Но брат был уже москвичом: сунул взятку. Аделу вернули в семью. А вечером брат и Ревекка с ее очень выпуклым пристальным взглядом простились с Аделой уже на вокзале. Вернулась к себе, в город тихий, зеленый. Вокалу училась в училище. Ночами ей снились румыны и немцы, но часто бывало, что русские тоже. Солдаты с овчарками, рельсы, вагоны... Она просыпалась в слезах и стонала.

В эту зиму за нею начали вовсю ухаживать молодые люди, поджидали ее возле училища, поигрывали мускулами. Но этих людей было, кстати, немного. Одних застрелили, другие сгорели. А девушки — что? Ну, беретик надвинут, ну, гребень какой-нибудь вставят в прическу, помада там, шпильки — а счастья ведь нету. Грызешь кукурузу с досады и плачешь.

Прошел почти год. По дороге в училище (Адела обычно ходила пешком) ее догнал сильный красивый военный. Сказал, что из Киева, в командировке. Глаза голубые, в глазах — одна наглость. Он взял ее под руку, нежно, но крепко. Неделю лежали на травах, на сучьях — весна расцветала вовсю, разгоралась, и всюду палило свирепое солнце, и мухи блестели своими телами. Лежали в любви, наслажденье, согласье, шептали какую-то глупость, кричали. Потом он исчез. Вроде в Киев уехал. А вскоре вернулся опять, но женатым. Увидел Аделу в трамвае и спрыгнул: на полном ходу, как какой-нибудь школьник.

Теперь по ночам Адела рисовала себе страшные картины. Вот она входит к ним в дом, достает нож и закалывается прямо у них на глазах. Они же при этом лежат на постели, грызут шоколад и едят мандарины. А то еще лучше: она подходит к его жене, которая стоит, склонившись над базарным прилавком, где разные яйца, укроп, помидоры, и острым ножом протыкает ей сердце. Жена тут же падает на помидоры. Хотелось, чтоб крови лилось очень много, но также и слез. Может, слез даже больше. И *он* чтобы очень рыдал. Это важно.

И вдруг появляется Беня, бухгалтер. Лицо как лицо, рот большой, темно-красный, с как будто приклеенной нижней губою. Собой, правда, мелкий и ей до плеча, однако настырный, горячий, веселый. Сперва подарил букет белой сирени и газовый шарфик, потом еще что-то. А к слову заметить: тот, нежно любимый, совсем ничего не дарил, даже мыла. Адела все губы проела до крови, пока не сказала смущенному Бене:

— Пойдемте гулять с вами в горы. Хотите?

Конечно же, Беня хотел. Она привела его прямо в то место, где месяц назад истекала любовью. Трава еще так и осталась примятой. Она сперва села на мятую траву, потом прилегла, опустила ресницы. И Беня, пылая, лег рядом.

Он был смущен тем, что Адела оказалась не девушкой, и все поведенье ее, отчаянное, с немалою долей брезгливости, злости, его оттолкнуло, но тело понравилось. Белее сметаны. Куда ни посмотришь: колечки и кудри, пушок ярко-черный, жемчужинки пота. Лежит на траве, как картина в музее.

Спускаясь с горы, она, кажется, плакала. Прощаясь, на Беню и не посмотрела. А через две недели брат, который по-прежнему жил в Москве, но уже по другому адресу и был очень счастлив в своей этой новой любви, новом браке, вдруг получил дикую телеграмму от матери: «Сестра отравилась жива ждет ребенка что делать целую».

Брат скомкал дикую телеграмму. Потом опомнился, расправил измятый листок и протянул его жене.

— Убью, — сказал брат молодым своим басом. — Позор на весь город.

— Пусть женится лучше, — вздохнула жена. — У них же ребенок родится, подумай!

От этого брат покраснел еще гуще.

Через двое суток он приехал в родной город. С вокзала явился домой. Мать припала к его груди; отчим обнял его через материнскую голову, левая щека у него мелко задрожала.

— Она сейчас где? — спросил сразу брат.

— Лежит третий день. И обедать не стала.

Брат вошел в комнату, где она лежала спиной к нему и лицом к стене, завернутая в простыню, как египетская мумия: на улице было почти тридцать градусов жары.

— Адя! — произнес брат.

Она махнула рукой, чтобы он ушел.

— Зачем ты поела коробку со спичками? — спросил ее брат.

— Зачем я поела? — грубо ответила она и рывком села на кровати, выставила свое горящее, с изломанными бровями лицо. — А что еще делать? Я жить не хочу.

— Чей это ребенок? — спросил ее брат.

Адела низко опустила голову. Несчастный ребенок мог быть чьим угодно: и Бенин, и этого, с командировки.

— Чей? Бенин, конечно, — ответила она.

— Тогда вы поженитесь, — строго сказал брат.

Она вскочила и, зажав рот рукой, выбежала из комнаты. Ее долго не было. Рокочущий звук шел откуда-то снизу, как будто Адела забилась под землю.

— Вот каждый раз так, — всхлипнула мать. — Как только напомню о Бене, так рвота. Несчастная девочка. Господи Боже!

— Где Беня работает? — спросил брат.

Мать объяснила, где работает и как туда проехать. Адела вошла, бледная, с застывшим страданием в мокрых глазах. Брат вздрогнул всем телом: глаза не обманут. Он умылся и надел чистую рубашку. На раскаленном трамвае доехал до конторы, где крутолобый Беня работал бухгалтером. Дождался, пока закончился рабочий день. Потом подошел к Бене так близко, что перемешались дыханья: тяжелое — брата и быстрое — Бени.

— Ты помнишь меня? — спросил он.

— Помню, Лейбл. Ты был меня старше, когда мы учились.

— А я и сейчас тебя старше. И я тебя, Беня, убью: ты подлец.

— За что ты убьешь меня, Лейбл?

— А ты что, не знаешь?

— Не знаю, — сказал Беня и опустил лоб, ставший белым, как вафельное полотенце.

— Она ждет ребенка! — стыдясь даже облака в небе, сказал ему Лейбл.

— А я здесь при чем?

— А кто же при чем?

— Лейбл, — тихо сказал Беня, — давай немного отойдем, и я тебе скажу всё, как было. Я у твоей сестры не первый, Лейбл.

Брат оттолкнул его, но Беня не упал, только побелел еще больше.

— Я не говорю, что этот ребенок не мой. Он, конечно, может быть, и мой ребенок, но может быть, и нет. И что мне тогда?

— Ты женишься, Беня? — спросил его брат.

— Но не потому, что я испугался тебя, Лейбл. — И маленький крепкий Беня привстал на носках, чтобы сравняться ростом с высоким братом Аделы. — Я женюсь потому, что это *может быть* мой ребенок. Мы этого никогда не узнаем. Ни ты и ни я. Я женюсь.

И сразу же отвернулся, зашагал прочь. Лейбл посмотрел ему вслед, и собственное счастье, ждущее его в Москве, вдруг так обожгло изнутри ему душу, что он чуть не вскрикнул.

Свадьба была не просто скромной, ее — этой свадьбы — почти даже не было. Близкие люди посидели за столом, пообедали вкусно и разошлись: больно было смотреть на то, как Адела ненавидит своего мужа. Белое платье обтягивало ее огромную грудь и слегка выпирающий живот, лоб под черными тяжелыми волосами был мокрым от пота. Она вытирала лицо надушенным носовым платком, потом складывала этот платок во много раз и внимательно смотрела на него, как будто платок вот-вот заговорит.

В двенадцать пошли, легли спать. Беня погасил лампу и вытянулся у стенки, на которой висел красивый ковер, помнивший времена Австро-Венгерской империи. Адела, не снявшая белого платья, лежала с ним рядом.

— Аделочка, — попросил Беня, — ты лучше разденься. Помнешь свое платье.

— Иди лучше к черту! — громким шепотом ответила Адела. — Глаза бы мои на тебя не смотрели!

Беня отвернулся от нее. Рыдание стало ломить ему горло и всю его грудь под майкой, пропитанной потом, поэтому он сжался под одеялом и замер, стараясь почти не дышать.

Семь месяцев до родов они жили в одной комнате, ели за одним столом и спали на одной кровати. Адела клала между ними большую пухлую подушку, чтобы горячим своим телом Беня случайно не дотронулся до нее во сне. Один раз утром он почувствовал ее взгляд на своих ногах. Огромная, вот-вот готовая родить,

Адела сидела на постели и, отвернув край одеяла, внимательно разглядывала пальцы его маленьких ног, слегка заштрихованные темными волосками.

— Нельзя так, — не оборачиваясь, сказала она. — Я видеть тебя не могу. Спи лучше в носках.

И, обернувшись, задрожала изломанными своими бровями и руки стиснула на груди так, что побелели костяшки:

— Ну, я умоляю! — И вся затряслась. — Я прошу тебя, Беня! Спи лучше в носках.

Он стал спать в носках.

Ночью с первого на второе апреля на земле неожиданно потеплело, и птицы, которые прятались в небесной вышине, вдруг громко запели на голых деревьях. Беня увидел во сне, что мама будит его для того, чтобы вести в гимназию, а он прячется от ее мокрой руки под одеяло и знает, что еще немного, и мама принесет из кухни ковшик с холодной водой и выльет всю воду на Бенину голову. Так оно и случилось. От воды он проснулся, вскочил, ничего не понимая, и тут только вспомнил, что мать умерла. И сразу увидел огромную женщину, лежащую рядом с ним на постели, из тела которой лилось что-то на пол, в то время как сама женщина выгибалась наподобие удава или какого-то другого редкого зоологического существа.

— Но я не хочу! — И рвала свои косы. — Рожать не хочу! Не хочу! Убирайся!

Беня под проливным дождем побежал в больницу, и через полтора часа Аделу забрала машина «Скорой помощи». Беня схватил попутку и помчался следом. Сидя в приемном покое, где отвратительно пахло хлоркой и нянечка пила чай с сухарями, обмакивая их в чашку и потом дуя на размокший сухарь, как будто бы им можно было обжечься, он со страхом прислушивался к стонам и крикам, доносящимся из родильного отделения, пытаясь понять, не кричит ли Адела, но все эти крики и стоны смешались в такой адский звук — один, неделимый и дикий, — что Беня подумал: а вдруг так у всех? Вдруг все так живут, ненавидя друг друга, и спят ночью тоже в носках или в брюках?

Адела не кричала. Она испытывала жгучее наслаждение от того, чтобы, стиснув зубы и до крови раскусывая нижнюю губу, себе не позволить ни крика, ни стона. Адела молчала, хотя из вытаращенных от боли глаз ее потоком лились слезы, и старшая акушерка, слегка удивленная такой терпеливостью, несколько раз отирала ее лицо влажным полотенцем. И только когда этот самый ребенок, которого она боялась целых девять месяцев, как можно бояться грозы или смерти, раздвигая ее тело и разрывая его, начал проталкиваться на волю, она закричала так страшно и хрипло, что врач подошел к ней и стал помогать.

— Да что я без вас, что ли, доктор, не справлюсь? — спросила его акушерка с обидой.

Потом стало тихо. Адела ждала.

— Ну, вот тебе: девка! — сказал потный доктор.

Младенца поднесли к самому ее лицу.

— Хорошая девочка. Чистая, видишь? У нас кесарята такими бывают. А эта — гляди! Как не мучилась...

Адела взглянула на девочку. Отвращение и ужас исказили ее лицо. Акушерка протягивала ей туго спеленутого Беню с его крутым лбом, его носом и этой немного как будто отдельной, как будто приклеенной нижней губою.

— Хо-ро-о-ошая девочка! — повторила акушерка, очевидно, удивляясь тому, что молодая мать не ахает и не делает ни малейшей попытки прижать к себе младенца. — Не нравится, что ли, мамаша? Обратно засунуть?

Ярко накрашенным ногтем мизинца «мамаша» дотронулась до морщинистого младенческого лба, провела наискосок, как будто хотела царапнуть.

— Горячая! — вздрогнула она. — Смотрите! Наверное, температура!

— Нету никакой температуры, — пропела акушерка. — Мы мертвых — тех, правда, совсем холодышек вытаскиваем. А эта — живая, должна быть горяченькой!

— Дайте мне! — свирепо оборвала Адела. — У вас тут такой дикий холод в палатах, детей нам уморите!

Потом она крепко заснула. Во сне увидела себя, все еще беременную; живот ее был прозрачным, как хрусталь, и там, в животе, крепко спал этот Беня, с его оттопыренной влажной губою.

— Ну, дрыхнуть-то хватит! — сказал грубый голос над ухом. — Встань, ручки умой, волосики расчеши, кормить сейчас будешь!

С трудом переставляя отечные ноги, Адела добрела до уборной, где никого не было, кроме лохматой, жадно курящей в рукав женщины лет сорока пяти с темными пятнами выступившего на халате молока.

— Когда родила? — спросила она у Аделы.

— Недавно, — надменно сказала Адела. — И вы на меня не курите.

— Да я на тебя и чихать не желаю! — вспыхнула лохматая. — Скажите, принцесса какая!

Адела подавила в себе острое желание изо всей силы ударить ее по лицу и, опустив глаза, вышла.

В палате, где, кроме Аделы, лежало еще шестеро — пятеро только что родивших и одна после операции на внутренних женских органах, — пахло сладковатым потом и слабым, едва уловимым запахом младенческих затылков, напоминающим запах сирени после дождя.

Адела высвободила из халата огромную грудь с ярко-чернильным соском.

— Держи, не вырони! — сказала медсестра и на руки ей положила младенца.

Дочь, еще безымянная, туго спеленутая, приоткрыла белесые глаза и мутно взглянула на мать. Адела почувствовала страх: взгляд был похожим на тот, который она однажды поймала у Бени, когда они молча лежали в траве и она изо всех сил вдруг оттолкнула его. Беня посмотрел на нее сквозь мутную пленку, затянувшую зрачки, и мыча, как теленок, потянулся к ней, заскользил холодными руками по ее животу, и видно было, что он ничего не соображает, ничего не видит и хочет сейчас одного: войти в ее тело, а после — хоть смерть; и, стиснув зубы, она отчаянно, с отвращением подчинилась, опрокинулась навзничь, чтоб только не видеть белесого взгляда.

Сейчас вместо Бени был этот младенец. Адела втолкнула чернильный сосок в его очень маленький рот, и тут же душа ее стала гореть, как будто на хворост плеснули бензином. Шелковое поскрипывание, с которым младенец вытягивал из ее груди жалкое, светло-желтое подобие молока, тихое дыхание, которое обдавало Аделу теплом всякий раз, когда это странное существо слегка приотрывалось, вздыхало старательно своими неумелыми губами и снова обреченно приникало к соску, — все это было настолько новым и настолько сильно требовало от нее чего-то, что поначалу Адела растерялась: она почувствовала себя в ловушке, опять — еще хуже, чем в этом подвале, где пахло проросшей картошкой и пылью. Ей захотелось вырваться из цепких младенческих губ, но — некуда. Младенец был всюду, везде. Не только здесь, в этой огромной палате, где чмокали ртами другие младенцы; он был до сих пор в грузном теле Аделы, внутри ее мозга, ее живота, и он тяжело налегал ей на сердце, хотя между сердцем ее и губами младенца есть грудь и есть множество ребер.

Адела подняла глаза, чтобы посмотреть, как кормят другие, но ни на одном из этих простодушных лиц не было ни боли, ни растерянности: все ворковали над неподвижными птенцами, закатывали неяркие свои глаза, заводили их под самые лбы, и щурили, и умиленно моргали. Медсестра с длинной каталкой, неприятно напоминающей катафалк, поскольку клеенка на этой каталке была ярко-черной и очень пахучей, начала отбирать новорожденных у матерей и укладывать их рядком, желая скорее свезти в отделенье и там передать в посторонние руки. Ей тоже хотелось домой, к своим деткам.

— Не дам! — вдруг сказала Адела свирепо. — Она еще ест у меня. Подождете!

— Да что ей там есть? — удивилась сестра. — Там нет ничего! Еще молоко не пришло, что там есть-то?

— Оно, может, к вам не пришло! — отрубила Адела. — Сказала: не дам! И не дам! Пусть доест.

Медсестра хотела было вспылить, накричать, но вдруг почему-то смолчала. Адела, сидящая на кровати, с туго заплетенной косой, издали похожей на толстую змею, живущую где-то в далекой пустыне, с большим, очень ярким и белым лицом, круглыми белыми руками прижимающая к голой груди своей, блестящей, как парус, от сильного солнца, внезапно упавшего прямо в палату, безмолвную дочь, очень уж выделялась. И хотя медсестра, спешащая домой и раздраженная, привыкла к любым молодым матерям, кормящим своих дочерей с сыновьями, и все они были друг другу подобны; хотя медсестра привыкла ко всем и всему (и даже тогда, когда одна простая молдавская женщина вдруг родила совершенно черного, чернее, чем уголь на шахте, младенца, и люди вокруг ужаснулись; одна медсестра оставалась спокойной и так же катала на скользкой клеенке чужое дитя не молдавского вида, как всех остальных, белокурых и красных), но сейчас, взглянув на большую, разгоряченную и разгневанную Аделу, она промолчала и даже смутилась.

Через четыре дня Аделу и дочь ее, по-прежнему безымянную, тихую, выписали из больницы. О, как она знала, *кто* там ее ждет! Как чувствовала она — сквозь этот весенний, пьяный от испарений воздух, сквозь жилы деревьев, смущенно и радостно помолодевших от острой и нежной, слегка синеватой от близкого неба листвы, сквозь равнодушные облака, проплывающие низко над городом и задевающие за его флюгеры своими пухлыми, с темными впадинами, локтями, сквозь всю эту жизнь и сквозь всё на земле, — как чувствовала она этого незначительного, никому в мире не интересного человека! Отца ее дочери, Беню Скурковича.

А он ее ждал.

Беня Скуркович не помнил, чтобы он когда-нибудь еще так волновался, как в это утро. Встав после бессонной ночи, счастливый и полный сил, которые с сегодняшнего дня должны были быть без остатка отданы его красавице-жене и маленькой новорожденной дочке, он долго плескался под краном на кухне, потом, невзирая на утренний холод, нагрел ведро воды и чисто — до скрипа — вымылся на дворе, потом долго брился и даже порезался, потом надушился, потом приоделся...

В половине двенадцатого, когда золотое, с вишневым отливом, созревшее для обожания солнце выплыло из-за облака и свесило пышную светлую голову, внимательно глядя на Бенину радость, с огромным букетом цветов в свежей «Правде» Беня стоял на газоне у больницы и ждал их: жену свою с дочерью. Держа его под руку, рядом стояла сестра его матери, Бенина тетка.

Адела, прекрасная, очень массивная женщина, вышла из родильного отделения. В руках у нее был младенец. Рядом семенила медсестра с тем цветом лица, который встречается у людей, страдающих сердечной недостаточностью. Дыханье ее было частым, неровным.

— Важнее всего, чтоб почаще рыгала! — задыхаясь, внушала медсестра. — Покушает — сразу к себе на живот, и жди, как срыгнет.

Адела кивнула и в эту минуту увидела Беню и тетку. Она приоткрыла рот и так же, как эта дотошная медсестра, часто и неровно задышала, а крылья красивого нежного носа покрылись вдруг сильной испариной.

— Аделочка! — пискнула тетка и побежала к ней, забыв про возраст.

Адела успела заметить, что на тетке новые белые босоножки с узкими и тесными перепонками. Бежала, как бегают гуси: вразвалку.

— Ну, дай поглядеть! Дай скорей! Ах ты, внучечка!

Медсестра откинула байковое одеяльце, и тетка ударилась в слезы.

— Ой, Господи Боже! Ой, вылитый Бенчик! Да ты ж моя деточка, мой ангелочек!

Адела молчала, потом долго терла глаза свои краем тяжелой ладони.

Говорят, что все несчастливые семьи несчастливы по-своему. Не верьте. Везде все одно. Что рай не бывает похожим на ад — доказывать нечего: разные вещи. Но вот утверждать, что чем стыть во льду, легче крутиться на угольях, — это нелепость!

Написано в книге:

«...и грешникам место уготовано: прелютые муки, разноличные. Где ворам, где татям, где разбойникам. А где пияницам, где корчевницам, где блудницам, душегубницам. А блудницы пойдут во вечный огонь. А тати пойдут в великий страх. Разбойники пойдут в грозу лютую. А чародеи пойдут в тяжкий смрад. И ясти их будут змеи лютые. Сребролюбцам место — неусыпный червь. А убийцам будет скрежет зубный, а пияницы — в смолу горячую. Смехотворцы и глумословцы — на вечный плач. И всякому будет по делам его».

Какие слова-то! Прочтешь: не забудешь.

В пристройке, которую молодая семья Бени Скурковича занимала целиком, что было нечастым везеньем (и кухня большая, и новые окна!), — царил чистый ад. Горели в огне и Адела, и Беня, и их безответная дочка, какую Адела назло очень робкому Бене, просившему, чтобы ребенка назвали в честь мамы-покойницы Дворой, придумала странное имя — Виола, и девочка стала Виолой.

В косынке холодного синего цвета, в коротенькой кофте и юбке в горошек, Адела с утра уходила на рынок с ребенком в коляске. Хвалилась. Смотрите! Трех месяцев нет, а почти что садится. Прибавила в весе, аж врач удивился. А как не прибавить? Дочка давилась жирным материнским молоком, рвота с кислым запахом того же молока, уже свернувшегося, заливала обеих, на ковре с лиловыми цветами не отстирывались присохшие разводы. Адела бросала младенца на кресло, мокрой тряпкой подтирала пол, лицо умывала водой из-под крана и вновь приступала к кормленью. Большими красивыми пальцами сжимала горячие детские щеки, вставляла сосок в вялый рот и давила. Ребенок был огненно-красным, хрипел. Над ним возвышались тяжелые груди — почти как вершины Тибета с Казбеком. Тетка не выдерживала пронзительного младенческого крика, выскакивала, растрепанная и жалкая, из своей комнаты:

— Оставь, говорю тебе! Ведь захлебнется!

— Пошли вон отсюда! — отвечала Адела с таким наслажденьем, как будто бы вопль опостылевшей тетки ей был долгожданной и сладкой наградой.

Тетка хваталась за голову, пряталась. Адела отнимала ребенка от груди:

— Ну, вот и поела! А то не хотела... А мама ведь знает, что надо покушать! А как же не кушать, раз мама велела?

Потом она туго-натуго перепеленывала Виолу и, прижав к своему лицу живой горячий сверток, осыпала его поцелуями.

— А вот наши ручки! А вот наши ножки! А где наши губки? А где наши глазки?

Затравленными глазками дочь смотрела на развеселившуюся Аделу.

— А кто это плакал? — Та не унималась. — Вот мама Виолочку — р-раз, д-два и — в ямку!

Подкидывала сверток обеими руками и ловко ловила у самого пола.

Но были и страшные дни. Адела спала на кровати, а Беня рядом на раскладушке. В полночь Виолочку нужно было кормить. И то ли луна так безумно светила в угрюмое лицо молодой матери, то ли ночные совы кричали друг другу: «Прости-и-и! Прости-и-и!» — и этим печалили томное сердце, но только Адела вдруг словно бы вспоминала о чем-то и, прижав младенца к обнаженной груди, переводила расширенные страхом глаза свои с беззаботного Бени, который во сне обнимался с подушкой, на личико дочки, сосавшей ее молоко, и вдруг дикая злоба подступала к горлу кормящей матери, и она, закусив полную губу, вскакивала с кровати и начинала толкать мужа в плечо:

— Вставай, просыпайся, подонок!

Ошарашенный, не ждавший упреков, Беня Скуркович садился на раскладушке и мотал рано полысевшей большой головой.

— Ах, я ненавижу тебя! — громко и задушенно стонала Адела, и судорожное рыдание начинало колотить его. — За что эта мука? За что, люди добрые?

Она стонала и плакала так безутешно, словно стояла на площади, окруженная добрыми людьми, с жалостью внимавшими ее горю, и им она, добрым, рассказывала все с самого начала: как сильно любила мерзавца, а он оказался женатым, и как отдалась она потному Бене с одной только целью: унизить мерзавца, и как он ей сделал ребенка, тот Беня, и как она съела все спички в коробке, а мать отпоила ее молоком и вызвала брата из самой столицы... А этот ребенок... Да чтоб ему сдохнуть! Зачем ей уродка, всей мордою в Беню?

— Адела, Аделочка! — в ужасе вскрикивал Беня, протягивая к ней короткие руки, покрытые нежными рыжеватыми завитками.

— Уйди с глаз моих! Я сейчас удавлюсь!

Она бросала ребенка на кресло, дочь начинала икать, потом плакать, бедный отец делал неуклюжую попытку заслонить ее собою, Адела отпихивала его, рыданье ее вдруг сменялось на хохот:

— А, хочешь кормить! Ну, корми, если хочешь! А я уезжаю! С меня вас всех хватит!

Она подскакивала к шкафу и рывком отворяла его: платьица и шарфики, которые Беня успел купить ей за время короткого их несчастливого брака, взлетали на воздух, как куры с насеста.

— Адела! Аделочка! Я умоляю!

Беня тоже плакал и, как это делают мужчины, не отирал слез руками, а втягивал их внутрь рта и проглатывал.

— Добился, подонок? — хохотала Адела, продолжая выбрасывать вещи из семейного шкафа. — Добился меня? Ну, и как? Не жалеешь?

Бледная как смерть тетка вырастала на пороге, торопливо заплетая жидкую кудрявую косичку.

— Воды ей, водички... — бормотала она.

— Уйди с глаз моих, тварь! — твердо выговаривая слово «тварь», приказывала Адела мелкой дрожью дрожавшему Бене. — Чтоб я до утра твоей морды не видела!

Беня торопливо натягивал брюки, на майку набрасывал лыжную куртку и в тапочках на босу ногу выбегал на улицу. Луна высоко в облаках начинала гримасничать, глаза ее вдруг голубели, добрели. А совы кричали всё громче и громче, и люди за темными окнами спали, никто не выбрасывал вещи из шкафа, никто не кричал, как кричала Адела. Крест-накрест обхватив себя короткими руками, Беня торопливо шел по улице, шаркая разношенными тапочками. Страх гнал его вдоль трамвайной линии, серебристо поблескивающей в темноте, как поблескивает ручей, журча между темными травами; потом он сворачивал в переулок и там наконец останавливался, прижимался пылающим лбом к стене чужого дома и плакал безудержно, долго и горько.

И так прошли целых три года. Летом 1955-го, когда несмолкаемо ныли дожди, долины размякли и листья от влаги свернулись в комочки, в город приехала труппа Петрозаводской оперетты. Адела к этому времени окончила музыкальное училище по классу вокала, но петь было негде и незачем: работала в детском саду музыкальным работником и там — при себе — и растила Виолу. Домой приходила в пять, а то и позже, заплаканного ребенка тащила за руку — Виолочка всхлипывала по привычке: ее то лупили, а то целовали, — с грохотом ставила на кухонный стол судки с едой, не доеденной детками, а то и припрятанной (дома пусть кормят!), сбрасывала туфли с отекших ног, с шумом расстегивала платье и тут же кидала его прямо на пол, и, вытащив шпильки из густых, влажных и круто завившихся за день волос, сажала заплаканную Виолочку на свои беломраморные раздвинутые колени.

Виолочка задыхалась от сладкого терпкого запаха пота, сквозящего из материнских подмышек, от запаха пудры, духов и особого, напоминающего запах разогретой на солнце крапивы, запаха материнского рта, раскрытого жадно, как у людоедов. Мать ставила перед ней огромную тарелку манной каши и клала в нее очень много варенья. Из белой каша становилась ярко-красной, почти даже черной и загустевала. Виолочка знала, что сейчас ее будут кормить, и липкий холодный пот покрывал детскую спинку — особенно там, где лопатки и крылья.

— Ешь, дрянь! — своим прекрасным, звучным голосом говорила мать. — Ешь, гадина!

И в плотно сомкнутые губы дочери начинала проталкивать полную ложку окровавленного питания. Виола давилась, каша растекалась по ее груди, красные сгустки падали на материнские ноги. Адела подбирала эти сгустки и размазывала их по дочкиному лицу.

— Пока всё не съешь, ты со стула не встанешь!

Тетка, почти до конца растаявшая от ежедневных слез, тихо и скорбно поднимала с пола мокрое от пота платье Аделы, железные шпильки, чулки, смотрела с тоской на терзанья и пытки. Если по случайности обходилось без рвоты, Адела отставляла дочиста вылизанную тарелку, умывала перемазанную дочь, досуха вытирала чистым вафельным полотенцем и крепко, со звоном и хрустом, ее целовала.

На представление петрозаводской оперетты «Веселая вдова» она пошла вместе со школьной подругой, еще незамужней и тускло одетой. Когда на сцене появился граф Данило во фраке с лакированно прилизанной черноволосой головой, где нитка пробора блестела, как жемчуг, и, глядя прямо на Аделу, сидевшую в третьем ряду (Беня купил самые хорошие и дорогие билеты!), запел, усмехаясь роскошной усмешкой: «Пойду к «Максиму» я...», — у Аделы перехватило дыхание. Вся жизнь ее, оказывается, принадлежала этому человеку, его белоснежным зубам и усмешке, его очень длинным и ловким ногам, его подведенным глазам и пробору, — ему одному ее целая жизнь!

В антракте она, бросив у буфета тусклую школьную подругу, прошла прямо за кулисы и, спросив у какого-то мелкого человечка, где уборная знаменитого артиста, постучала в низкую дверь.

— Минуточку, Валя! — сказал обожаемый голос.

— Какая я Валя? — оскорбленно выдохнула Адела сквозь раздувшиеся ноздри и толкнула дверь.

Тот, за которым она решила идти на край света (и добрые люди ее не осудят), стоял перед зеркалом и осторожно расправлял наклеенные усы над тонкими выразительными губами. В зеркале он увидел неправдоподобной красоты, большую, в лиловом берете женщину.

— Вы очень красиво поете! — задыхаясь, но голосом звучным, густым и прекрасным сказала вошедшая. — Я благодарна.

Граф Данило усмехнулся еще коварнее и нежнее, чем он усмехался на сцене.

— Я тоже певица, — сказала незнакомка.

— Ах, тоже! — опомнился граф и твердой скульптурной рукою пожал ее очень горячую руку.

— Скажите, вы тоже еврей? — вдруг спросила певица.

— Я? Да, я еврей, — оторопев, но чувствуя сильное волнение в груди, прошептал граф и ближе придвинулся к ней.

— Маратик! На выход! — Кто-то на бегу стукнул в дверь графа Данилы и побежал дальше.

— Я должен идти, — раздувая ноздри почти так же широко, как Адела, сказал граф и, не удержавшись, поцеловал ее вишневые губы. — Когда я увижу тебя, дорогая?

И тут же едва не упал от пощечины. Слезы брызнули из его подведенных, цвета темного ореха, с густой поволокою глаз. Щека стала бурой, и зубы, которые были под нею, заныли.

— Да как вы посмели? — прошептала незнакомка в лиловом берете. — Я вам не какая-то там проститутка! Я честная женщина, ваша коллега!

Она порывисто повернулась и сделала шаг к двери. Уборная пахла духами и потом. Граф Данило опустил глаза и увидел ее выпуклый, как у лошади, обтянутый шелком, волнующий зад. Он схватил ее за локоть и силой развернул к себе.

— Сегодня... как только закончим спектакль... — быстро сказал он. — Но только не здесь. Здесь, конечно, увидят. А где?

— Пустите меня! — вскрикнула незнакомка и вырвала локти из его цепких пальцев. — Не смейте искать меня! Вы негодяй!

— Марат! Ты заснул там? — Мелкий испуганный человечек, который объяснял Аделе, как найти артиста, просунул свой профиль в уборную. — Тебя же все ждут!

— Иду! — скрипнул зубами артист и, бросив Аделу, рванулся на сцену.

Размазывая краску по щекам, кусая свои воспаленные губы, глотая горючие слезы, Адела вернулась к подруге.

— Ой, я уж не знала, что думать! — залепетала подруга. — Ушла — и с концами! Он что, приставал?

— Ко мне? — надменно и звучно спросила Адела. — Ко мне не пристанешь! Мы просто коллеги.

Ей, судя по всему, сильно полюбилось это слово, и, поймав недоверчивый взгляд тусклой незамужней девушки, она повторила с нажимом:

— Коллеги!

Спектакль закончился ровно в четверть одиннадцатого. Вместе с толпою зрителей, обсуждавших поведение Розалинды и всех ее венских любовников, Адела с подругой оказались на улице. Дождя уже не было, ночь подступила, обволакивая людей своими запахами, успокаивая их своими мирными звездами, — и столько тепла, и любви, и желанья таила в себе эта ночь, эти вальсы, которые медленно стыли в сознанье, и так было весело всем и беспечно, что, если бы снова пришел, скажем, Гитлер, его бы, наверное, не испугались.

— Иди! — сказала Адела подруге. — Мне нужно остаться еще здесь... по делу...

— Так я подожду, если только по делу, — кротко (а может, не кротко, а очень ехидно — кто их разберет, незамужних и тусклых?) сказала подруга. — Ты делай, что нужно, а я погуляю.

— Не нужно гулять здесь, — раздувая ноздри, повторила Адела. — Тебя ждут родители.

Подруга ушла, сгорбившись, и кок нежно-серых волос надо лбом повис, как гнездо без птенцов и без самки.

Адела стояла под кроной густой, много помнившей липы — румын и австрийцев, и венских влюбленных, и красноармейцев с мандатом на обыск, — она стояла прямее, чем статуя молотобойца в московском метро или в парке культуры, не думая ни о Виоле, ни о муже, и сердце ее колотилось, как камни, которые падают вниз по ущелью.

Через полчаса граф Данило, в программе спектакля обозначенный как Вольпин Марат Моисеевич, вышел беспечно из здания театра с куском бутерброда во рту и букетом, небрежно опущенным вниз головою. Адела шагнула к нему из-под липы. Граф торопливо проглотил кусок докторской колбасы, привезенной еще из Петрозаводска.

— Я рад, что вы здесь, — щурясь и улыбаясь в темноте, бархатно сказал он, однако лицо заслонил вдруг цветами. — И как же вас звать?

— Как звать? Я Адела, — сказала Адела и вздрогнула.

— Красивое имя, — сказал граф и протянул ей руку, сильно и вкусно пахнущую недоеденным бутербродом. — Марат Моисеевич Вольпин.

Марат Моисеевич был насторожен и вежлив до крайности. Адела сверкнула глазами во тьме.

— Я бы хотел поближе познакомиться с вашим городом, — бархатно продолжал артист. — Здесь много красивого, мне говорили.

— Провинция, — хрипло ответила Адела, чувствуя, что от этого голоса у нее начинают дрожать ноги, а соски на обеих грудях становятся жаркими, как от кормления. — С Москвой не сравнить.

— Я много раз бывал в Москве, — возразил Марат Моисеевич и, придвинувшись, горячо задышал на Аделу. — В провинции тоже свое есть. Природа...

— Вы любите горы? — вдруг прямо спросила Адела

— Да, очень люблю, — прошептал граф Данило.

— Могу показать вам красивое место. Хотите сейчас?

На самом последнем, хрупко позвякивающем трамвае, который, как липа, все помнил — и венских влюбленных, и красноармейцев, — они доехали до того места, где заканчивался город и начиналась природа.

...В густой и высокой траве лежала прекрасная, белая настолько, что даже луна побледнела, как будто ей стало немного неловко своей этой ярко-оранжевой кожи, вся шелковая — шелковистей, чем травы, которых не мяла нога человека (ведь были дожди, где уж тут погуляешь!), — лежала Адела и громко стонала, рычала, кричала, хрипела, вздымалась и вновь опускалась, как делают волны, когда их то бьет диким ветром ненастья, то вдруг отпускает: плывите и смейтесь!

Графу Марату Моисеевичу Вольпину, познавшему женщин в пятнадцатилетнем возрасте и с той поры уверенному, что всё в них почти одинаково — особенно если темно и не видно, какие глаза и какие сережки, — сейчас было страшно от бездны, лежащей под ним на траве, этой белой, горячей, вскипающей, как молоко, прожигавшей все тело до боли, которую терпишь и хочешь терпеть: пусть еще прожигает.

Под утро Адела вернулась домой. Виола спала. Тетка плакала за дверью, а Беня сидел на своей раскладушке, смотрел прямо в пол, в свои рваные тапочки.

— Мы завтра разводимся, Беня, — сказала Адела. — И я уезжаю.

— А как же ребенок? — спросил ее Беня.

— Ребенок поедет со мной, — ответила Адела и, не стесняясь, начала стягивать через голову свое праздничное, но страшно измятое, мокрое платье.

— Но это ведь дочка моя, — сказал Беня.

— Ребенка тебе не отдам, — повторила Адела. — Ты даже не думай.

Тетка, которая подслушивала, не вынесла ссоры и заголосила.

— Заткнитесь! — крикнула Адела, не оборачиваясь и по-прежнему прожигая Беню своими глазами. — Ребенка разбудите!

— Уж если разбудит кто, так это ты, — прошептал Беня и, вставши на цыпочки, серый, печальный, в заношенной полосатой пижаме, с большой головою, с руками в цыплячьем и нежном пуху, подошел к своей дочке и поцеловал ее спящие глазки. — Ребенок останется здесь.

Ни слова не говоря, Адела оттолкнула тетку, которая встала на пороге и мешала ей, бросилась в кухню, где на полочке рядом с умывальником лежал бритвенный прибор ее мужа Бени Скурковича, состоящий из синего пластмассового стаканчика, безопасной бритвы и наполовину вылезшего, лохматого помазка, схватила лезвие и изо всех сил полоснула себя по руке. Кровь, обрадовавшись свободе, сперва брызнула фонтаном, потом полилась очень густо и ярко, но тут прибежали и Беня, и тетка, схватили, скрутили, связали, зажали.

Адела молчала.

Через три дня Петрозаводский театр оперетты, включая летучую мышь, веера, и шляпы, и перья, отбыл восвояси. Уехал к себе, к своим финским болотам.

Неделю Адела пролежала на кровати, отвернувшись лицом к стене и стиснув зубы. Виола ходила в сквер с тихой теткой, а папа, вернувшись с работы, кормил ее ужином. На восьмой день Адела поднялась, сама стащила с антресолей пыльный чемодан, покидала туда все свои кофточки, чулки и лиловый берет, взяла пару платьев для дочки Виолы и, дождавшись утра девятого дня, когда Беня отправился на работу, а тетка — на рынок, одной рукой схватила за воротник испуганного ребенка, вся накренилась на сторону от тяжелого чемодана в другой руке и пошла на вокзал. Там она взяла два плацкартных билета, села на поезд и через трое суток оказалась в пахнущем хвойными лесами чужом городе.

И тут наступили события. Марат Моисеевич Вольпин был вдовым, но веселым и простодушным человеком. Вдовство его было внезапным и горестным. За полгода до встречи с роковой женщиной Аделой Марат Моисеевич в одной могиле похоронил умершую родами жену свою, певицу Ажадину Ольгу Васильну, а также двухдневного сына Алешу. Ольга Васильна была на шесть с половиной лет старше Марата Моисеевича, любила его очень страстной любовью, писала ему бесконечные письма, когда он бывал на далеких гастролях, надеялась жить вместе долго — и вдруг умерла, захлебнувшись от рвоты, случившейся с ней при рождении сына. Несчастный сиротка простыл той же ночью и утром невинно и кротко скончался.

После похорон Марат Моисеевич, которого друзья и родственники поддерживали с обеих сторон под руки — поскольку он, бедный, шатался от горя, — вернулся домой после долгих поминок, устроенных в оперной студии города Петрозаводска, где до самого декрета работала ничего не подозревающая Ольга Васильна, поставил перед собою фотографический портрет покойной, на котором она — в открытом блестящем платье, с блестящими локонами и круто завернутой, как вафельная трубочка, челкой — смотрела в глаза ему с нежным упреком, налил себе водки, чокнулся с портретом, звонко стукнув о стекло полной рюмкой, и тут же поклялся покойной подруге, что будет ей верен до самого гроба. Верность в сознании Марата Моисеевича состояла исключительно в отказе от брака.

Пылкая встреча с Аделой и ночь вместе с ней на траве Буковины отнюдь ничему не мешала, поэтому, когда в четверг утром, явившись, как обычно, на репетицию в театр, Марат Моисеевич вдруг обнаружил в своей уборной смертельно бледную, готовую на всё женщину и рядом — с вытянутым от постоянного страха личиком и скорбными глазами — маленькую девочку в красном пальтишке и с плюшевым зайцем, прижатым к груди, — когда он увидел всю эту картину, душа в нем заныла, как перед атакой.

— Ну, вот, — хрипло сказала Адела. — Вот мы и приехали.

Марат Моисеевич громко проглотил слюну.

— Вы, может быть, нас и не ждали? — с вызовом спросила Адела.

Марат Моисеевич затравленно забегал глазами по потолку.

— Виола, скажи дяде: «Здравствуйте!» — приказала строгая мать своему оторопевшему ребенку.

Ребенок молчал. Глаза его быстро застлало слезами.

— Скажи дяде: «Здравствуйте!» — звонко отчеканила мать.

Ребенок раскрыл свой младенческий рот и тут же беззвучно, но горько заплакал. У Марата Моисеевича защипало в горле.

— Вот плакать не надо, — сказал он печально. — Как зайца зовут? Я уверен, что Петя!

— Как зайца зовут? — повторила Адела. — Ответь быстро дяде! Считаю до...

— Не нужно считать! — попросил Марат Моисеевич. — Ну, заяц и заяц.

Ребенок отчаянно замотал капроновым бантом:

— Его зовут Клава.

— Ах, Клава! — удивился Марат Моисеевич. — Так он, значит, девочка, что ли, твой заяц?

— Нет, Клава! — рыдая, ответил ребенок.

Марат Моисеевич опустился на корточки, достал из кармана пахнущий чужими духами носовой платок и осторожно вытер им судорожные и бледные детские щеки.

В тот день началась его новая жизнь.

Через неделю похудевший, с потухшими глазами Беня Скуркович, который всю голову сломал, раздумывая, как ему быть: броситься ли вдогонку за Аделой, или подождать, потерпеть, пока она вернется, или, напротив, совсем успокоиться, вкусить сладость этой внезапной свободы — ведь нечего прятать суровую правду: конечно, дышалось намного свободней, и не было тяжести странной в желудке, которая как наступила когда-то, когда началась мука этого брака, так не отпускала ни днем и ни ночью, — через неделю похудевший, с потухшими глазами Беня Скуркович получил страшное письмо:

Не надейся, что ты еще хотя бы один раз в жизни увидишь Виолу, — писала ему Адела быстрым бисерным почерком. — *Она по ошибке была твоей дочерью. Такое ничтожество и негодяй, как ты, который не хотел, чтобы собственный ребенок родился на свет, не заслуживает того, чтобы называться отцом. И больше ты ей не отец. Я встретила человека, который полюбил меня и понял, какие страдания принесла мне жизнь с тобой, негодяем и предателем. Виола теперь носит фамилию этого человека, он усыновил ее, и я высылаю тебе копию документа, подтверждающего усыновление. Мне нужен теперь развод. Ты все равно не сможешь помешать мне сделать то, что я сделаю, и, если нужно будет переступить через ваши трупы — твой и твоей ненаглядной тетушки, которая травила меня и мою дочь, как травят клопов и тараканов, — я переступлю через ваши трупы, потому что счастье моего ребенка дороже мне всего на свете.*

Развод можно сделать очень быстро. Для этого я должна снова приехать в проклятый город, в котором ты живешь и который я ненавижу всеми своими силами, и нас разведут в том же загсе, в котором я, неопытная дурочка, зачем-то вышла за тебя замуж. Я знаю твой предательский характер, знаю, что ты будешь мучить меня тем, что оттягиваешь наш развод, хотя ребенок тебе не нужен и ты ни разу даже не заглянул в коляску, чтобы поинтересоваться, какой там лежит ребенок; я знаю заранее, как подло ты будешь вести себя, поэтому говорю тебе сейчас: я приезжаю ровно через десять дней, то есть в воскресенье, двадцать четвертого сентября, у меня уже есть билет, а в понедельник мы с тобой пойдем в загс, и нас разведут. Я уже обо всем договорилась по телефону с начальником загса. Учти, что твои отказы и капризы не приведут ни к чему. Прощай. Твоя бывшая, оскорбленная до глубины души жена Адела.

Беня с трудом дочитал письмо, сгорбившись, добрел до кухни, бросил письмо на стол рядом с только что принесенной с базара недавно зарезанной курицей, гордая и красивая голова которой лежала на газете рядом с туловищем, и красный гребешок успел стать лиловым и сморщенным, посмотрел на эту курицу и сказал тетке:

— Она меня просто убила.

Тетка близко поднесла письмо к старым глазам, шевеля губами, прочитала его и прошептала:

— Смотри, сколько разных людей, Беня, умерли рядом. А мы всё живем.

И тогда Беня опустился на стул — хороший старый венский стул, поскольку кухня была одновременно и столовой, — положил голову на согнутые руки и зарыдал. И тетка заплакала, но с облегчением.

А на следующий день опять пришел почтальон и принес документ из районного загса. В документе было сказано, что Вениамин Абрамович Скуркович, письменно заявивший о своем отказе от отцовства по отношению к Виоле Маратовне Вольпиной, записанной в метрике о рождении под именем Виолы Вениаминовны Скуркович, больше не считается отцом Виолы Маратовны Вольпиной и освобождается от выплаты денежных обязательств.

Копия документа, заявляющего о том, что Беня не желает больше считаться отцом своей дочери Виолы

Вениаминовны и согласен передать права и обязанности в отношении ее Марату Моисеевичу Вольпину, была вложена в тот же конверт. Документ был отпечатан на машинке, стояла Бенина лиловыми чернилами выведенная подпись, число и дата.

— Бог мой! — вскрикнула тетка. — Когда же ты это писал?

— Я не писал этого, — глухо пробормотал Беня. — Это подделка. Она подделала мою подпись. И это ей так не пройдет.

Через три дня он встретил на перроне Аделу, румяную, как раскрытая роза, которую и поливают усердно, и два раза в день удобряют обильно. Увидев его, Адела сразу побледнела и еще больше выпрямилась.

— Зачем ты пришел? — выдохнула она. — Я знаю дорогу до загса.

— Ты подделала мою подпись, — сказал Беня. — Это уголовное преступление.

— Послушай меня! — ответила она. — Да, верно: подделала подпись. Но знаешь ли ты, что если на меня донести, то меня заберут в тюрьму и я оттуда уже не выйду?

— Тебе там и место, — прошептал Беня

— А что тогда будет с Виолой? — прищурившись, протянула Адела. — Виола погибнет без матери.

— Какая ты мать? — с отвращением пробормотал Беня.

— Какая я мать? — рассыпчатым эхом спросила Адела. — Я дня без нее не могу! Любого убью, кто обидит! Любого! Пускай меня рвут на клочки! Никому не отдам!

Беня поднял глаза и увидел перед собою не лицо человеческой женщины, какое бывает то лучше, то хуже — с помадой и без, подобрее, позлее, — он увидел перед собою разверзнутую бездну, которую осветила вспышка небесной молнии, и камни посыпались с воем и визгом; увидел горящий, поломанный лес с бегущим от гибели стадом бизонов, увидел развалины города Трои, которые видел вчера в кинофильме, и только высокие брови и зубы с застрявшим в них бисером черного мака (Адела дорогою съела две сайки) напомнили Бене, что это не бездна, не Троя, не буря, а все же — Адела.

Тогда Беня сдался: Адела в тюрьме, за решеткой, была бы опаснее, чем на свободе, и участь Виолы, которую мать никому не уступит — скорее умрет и ребенка уморит, — решила все дело.

После отъезда Аделы в город Петрозаводск вечером того дня, когда женщина с большими, усталыми пальцами, на одном из которых так глубоко вросло в мякоть обручальное кольцо, что даже и ноготь пожух и скривился, протянула им официальное подтверждение, что отныне они уже не муж и жена, а просто весьма посторонние люди, — вечером этого длинного, зачем-то пронзенного солнцем и светом прозрачного, пышного дня разведенный, свободный как ветер и грустный мужчина Вениамин Абрамович Скуркович, вернувшись домой, первым делом подошел к кроватке своей маленькой дочери Виолы и долго смотрел в опустевшее лоно холодной и прибранной этой кроватки, и все вспоминал, где чернела косичка, а где розовел ее крохотный локоть и где — на каком расстоянье от пола — свисала горячая, круглая пятка...

Оставим, однако, на время Вениамина Абрамовича и вернемся к занявшему его место в бесхитростной жизни ребенка Марату Моисеевичу Вольпину. Всего только несколько дней назад, приходя домой после спектакля, усталый, но довольный Марат Моисеевич (если он, конечно, возвращался один) снимал с себя всё до трусов, выпивал с удовольствием рюмку армянского коньяку, стирал осторожно с висков, с подбородка остатки уже неуместного грима, заваливался на кровать и спал богатырским и радостным сном. Он был простым парнем, а жизнь таких любит.

С приездом красивой и шумной Аделы все вдруг изменилось. Теперь в этой комнате их было трое: Адела, ребенок и он. Первое время он не мог привыкнуть к тому, что вечером нужно отчитаться перед посторонней женщиной за каждую минуту проведенного без нее времени. Опаздывать было нельзя. Медовым, с красивым молдавским акцентом, чуть лживым, но очень старательным голосом Адела звонила в театр и всем говорила, что это жена и нельзя ли Марата по срочному делу... Семейному, да... На секунду буквально.

Секунд набиралось часа на четыре.

Между тем Адела уже прошла первое прослушивание в театр оперетты — и голос понравился, да и не один только голос: богиня стояла на сцене, волосы ее едва не доставали до пола, а губы были подобны спелым вишням, из которых вместе с соком текли музыкальные чудные звуки, — она прошла первое прослушивание, и бедный Марат, граф Данило, уже понимал, что Аделу возьмут, тогда она будет с ним рядом все время, всегда будет рядом, до гроба, до смерти!

И дома, в квартире, гулял ураган: все было разметано, все полыхало. На второй день, вернувшись со спектакля, Марат Моисеевич не узнал своего скромного жилища: мебель была переставлена, окна вымыты до блеска, одна из стен перекрашена в темно-бордовый цвет, и прямо на темно-бордовом была фотография: тоже Адела, однако в открытом гипюровом платье, с закинутым к небу лицом и с руками, сжимавшими веер. Богиня, что ни говорите! Богиня.

Ночами Марату Моисеевичу почти не удавалось поспать: ночами она была даже не рядом, она была в нем — нет, вернее, он в ней, — короче: ему даже стало казаться, что эти вишневые спелые губы уже не ее, а — его, и под утро он так же растягивал их в полудреме и так же облизывал их, как Адела.

Кошмар был, однако, с ребенком, с Виолой. Марат Моисеевич вскоре заметил, что бледная эта, кудрявая крошка, которая до недавнего времени не расставалась с соской, а когда у нее насильно отобрали эту соску, тихонько сосала свой собственный пальчик, боится Аделу до смерти. Животный ужас наполнял детские глаза, внешние уголки которых были немного оттянуты вниз, отчего глаза становились похожими на два полумесяца. Ужас наполнял их не только в присутствии матери, но даже от голоса, даже от звука больших материнских шагов, от шуршанья, с которым Адела снимала свой плащик, от скрипа ботинок ее по паркету!

Через месяц Виолочка заболела крупозным воспалением легких. Марат Моисеевич не узнавал жены своей в этой убитой страхом женщине, которая не спала ни одной ночи, а если дремала слегка, то только в ногах у больного ребенка, и щупала лобик ребенка ладонью, и вновь прикрывала его полотенцем с наколотым льдом, ибо детка горела... Она горела почти неделю, за которую Адела превратилась в тень: под черными глазами легли глубокие тени, волосы она не расчесывала, и они стали неотличимы от войлока, пригодного и для ковров, и для шляпок, но, главное, валенок — взрослых и детских.

— Адела! — шептал иногда удивленный, смущенный и робкий Марат Моисеич. — Поди подремли!

— Зачем? — кротко спрашивала Адела и поднимала на него некогда ярко-черные, а теперь выцветшие глаза. — Никто мне не нужен. Помрет моя дочка, и я вместе с нею. Схоронишь нас вместе, ты это умеешь!

Виолочка, однако, не померла, но, будучи буквально из могилы вытащена сильными материнскими руками, опять стала жить, как все прочие дети.

— Ешь, сволочь! — слышал Марат Моисеевич, поднимаясь по лестнице своего многоквартирного дома усталыми ногами, которыми час лишь назад он плясал на премьере цыганские танцы. — Ешь, дрянь! Ешь, Скуркович проклятый! Скорей бы ты сдохла!

Медовый и сладостный голос Аделы с ее неизбывным молдавским акцентом гремел, как гремит горный Терек; но Терек грохочет в горах, и к нему там привыкли, а здесь, в этом доме, где жили артисты, и знали друг друга, и изнемогали то от любопытства, а то и от прочих страстей человечьих, — кричать так ужасно, ничуть не стесняясь! Сгорбленный и со спины слегка даже похожий на разведенного, зато проживавшего тихо и скромно Скурковича Беню, Марат Моисеич осторожно открывал дверь своим ключом и на цыпочках заходил в прихожую.

Страшная картина открывалась его глазам. Буквально: сражение, Чудская битва. На широко расставленных мощных и круглых коленях Аделы, вся выгнувшись, красная — как обварили, — хрипела, икала Виола, закатывая глаза и уворачиваясь от ложки, наполненной жирной дымящейся кашей, а рядом была банка с красным вареньем, и то же варенье — как кровь — на коленях суровой Аделы, на щечках Виолы, и пол под столом весь заляпан вареньем.

— Она больше кушать не хочет, — миролюбиво произносил Марат Моисеевич. — Нельзя заставлять, если нет аппетиту.

— Нельзя заставлять? — изумлялась Адела, резко поворачиваясь к нему вместе со стулом, коленями и согнутым наполовину ребенком. — Тогда пусть подохнет! Я не отвечаю!

Марат Моисеич шел в кухню, зажав себе уши, чтоб только не слышать:

— Ешь, сволочь! Проклятый Скуркович! Скорей бы ты сдохла! Ешь, дрянь! Ты отсюда не выйдешь!

Когда страсти успокаивались, домывались остатки детской рвоты и комнату проветривали от сильного запаха этой рвоты, Адела со свеженакрашенными губами, в белой шелковой комбинации, какую купила у примы в театре, а та — у гримерши (а вот про гримершу никто и не знает, следы затерялись), опять подступала к Марату; богиня, она обвивала Марата руками, и он задыхался, и он уступал ей...

В труппу Петрозаводского театра оперетты Аделу Вольпину взяли, но главные роли ей не уступили, чем вызвали гнев, очень даже понятный. Несмотря на свое сильно располневшее тело, Адела чудесно плясала и пела, а веером так колдовала на сцене, как будто бы и не сидела в подвале, борщей не варила и горя не знала. Конечно, могли бы дать роли получше. Директор театра, человек женатый, седой и в летах — давно, кстати, дед, даже, может быть, прадед! — однажды сказал грубовато и нежно:

— Пойдем побалуемся, а? Что ты смотришь?

Чудо спасло его от пощечины. И ангел в лице балеринки, зачем-то впорхнувшей во тьму за кулисы, где толстый директор потел и дымился от разных бессовестных поползновений, был послан Аделе сдержать ее руку и этим спасти старика от позора.

Но были и муки другие, покруче. Работа, в конце концов, — только работа, а вот, скажем, ревность? Да, ревность! Что, страшно? Ревность — это, кстати сказать, такая вещь, от которой даже здравомыслящий человек может на какое-то время потерять рассудок. И люди теряют. Отелло Отеллой, но он был военным, родился в провинции, черный... Короче: с Отелло все ясно. А вот вы возьмите, к примеру, театр. В театре бывает намного труднее. И в литературе — намного труднее. И в дачном поселке. А, скажем, на БАМе? На БАМе что, просто? Нисколько не просто. Поехали люди туда за туманом, и — вот вам туман. Хоть половником ешьте.

Адела пришла в Петрозаводский театр оперетты не для того, чтобы восхищаться своим мужем Маратом Моисеевичем Вольпиным из кресел партера. Не для того, чтобы на ее глазах Марат Моисеевич Вольпин обнимался с актрисой Зубаровой, хотя и по роли ему полагалось обнять, запрокинуть (а ей поболтать в это время ногою) — и так замереть, пока им станут хлопать. Неважно, что там полагалось по роли! Важно, что дважды разведенная Зубарова пылала всей розовой жилистой шеей, когда он ее выпускал из объятий! Адела терпела, пока ей терпелось, но силы иссякли, и она пошла прямо в гримерную к актрисе Зубаровой, которая как раз готовилась к выходу на сцену.

— Отделаю — мама тебя не узнает, — сказала Адела и ноздри раздула.

А когда Зубарова — женщина не самая тихая на свете, с прямыми ресницами рыжего цвета — вскочила из-за своего столика, рассыпав стеклянную баночку с пудрой, и обеими руками, белыми от этой пудры, стала махать перед лицом Аделы и громко шипеть: «Вон пошла, хулиганка!», Адела, не говоря больше ни слова, скрутила Зубаровой белые руки, макнула ее головой прямо в пудру, как сырник макают в муку, и сказала:

— Тебе объяснили. А дальше — как знаешь.

И вышла. И хлопнула дверью.

С каждым днем маленькая кудрявая Виолочка все больше привязывалась к своему новому папе Марату Моисеевичу, провела с ним очень счастливое время на первомайской демонстрации трудящихся (Адела болела месячными недомоганиями, да и, кроме того, у нее с тридцать девятого года сложилось подозрительное отношение ко всем торжествам и парадам вождей, ко всем русским лозунгам и достиженьям); и, радуясь, что мама осталась дома, сидя у папы на плечах, Виола подряд съела два эскимо и очень победно смотрела на землю. И папа был весел. С ним рядом все время крутились блондинки и все поправляли на папочке галстук.

К сожалению, именно вскоре после этой первомайской демонстрации, запомнившейся Виоле как самое чистое, полное счастье, у Аделы Вольпиной начались серьезные конфликты с дирекцией, и Марату Моисеевичу предложили перебраться на постоянное местожительство в город Новосибирск, где тоже театр, но климат суровый. Тайно от всех Марат Моисеич сходил потихоньку на кладбище, купил незабудки и их посадил, полил изголовья жене и сынишке, присел на скамейку, вздохнул глубоко — и вскоре вернулся обратно к Аделе.

Жизнь в городе Новосибирске началась с того, что в женской консультации Адела узнала о своей беременности. Окаменевшая от неожиданности, не понимая еще, что же теперь будет, она открыла дверь своей новой, только что полученной квартиры, где вещи, тюки, чемоданы громоздились друг на друге и синий с цветами ковер, купленный перед самым отъездом у той же гримерши, лежал, словно луг, ненароком залитый прозрачной озерной водою.

Ребенок Виола, полученный от Скурковича в результате мести и неосмотрительности, был отдан в детсад. Тихо было в квартире. Бросив прямо на пол свое модное пальто, на ощупь, как будто слепая, Адела вошла в ванную комнату, где пахло удушливой свежею краской, до краев наполнила ванну горячей водой, залезла в нее и зажмурилась. Что же? Теперь у них будет ребенок, пускай. Марат очень любит детей. Она услышала в коридоре его шаги и крикнула сильно и страстно:

— Маратик!

Муж ее осторожно заглянул в дверь.

— У нас с тобой будет ребенок, — сказала она.

У Марата Моисеича перехватило дыхание. Вдруг вспомнилась Ольга с младенцем Алешей, и как они оба лежали в гробу, и как на младенца упала дождинка... Он опустился на колени, положил красивую голову на горячую и мокрую руку Аделы, только что вынутую из воды, и всхлипнул.

— Ах ты, дурачок! — сладко и блаженно прошептала Адела, перебирая большими, с ярко-красным маникюром пальцами его маслянистые черные кудри. — Мальчишечка будет. Сыночек. Ты что? Ты плачешь, Марат?

Бывший граф Данило замотал головой и несколько раз поцеловал ее руку. На влажном распаренном лице Аделы воцарилось торжество. Вот так теперь будет всегда. Да, всегда. Она лежит в ванне, а он на коленях. И там, в животе, червячок с ноготок... Нет, как это там? Мальчик-с-пальчик? О Боже! Какое же счастье, покой, как легко! А Беня? Где Беня? Скажите, кто Беня? Она негромко засмеялась, за волосы приподняла опущенную голову Марата:

— Смотри, только не изменяй, мой хороший!

Марат Моисеич опять замотал головой и опять уронил ее.

— А что ты не смотришь в глаза мне, Марат? — сладко, но тревожно спросила Адела. — Ведь я говорю: ты мне не изменяй! А ты отвернулся! Ты что, изменяешь?

Муж испуганно посмотрел на нее:

— Любимая! Богом клянусь...

Она с досадой перебила его:

— Евреям, Марат, не положено клясться. Какой ты ужасно советский, Марат! Хотя... Что уж тут... Не в Европе родился.

Марат Моисеич побледнел, несмотря на духоту.

— Я горд своей Родиной, вот что! Я горд! И дети мои будут ею горды. Виола с Алешей! Нам есть чем гордиться!

Адела шутливо плеснула на него из ладони и тяжело поднялась из воды. Теперь она стояла над ним во весь рост. Не вставая с колен, Марат Моисеевич прошептал:

— А если ты считаешь Европой место, где родилась ты, так это, Адела, такая Европа, что...

Адела выгнулась, как лебедь, и обе белоснежные руки с черным кружевом душистых волосков под мышками заломила за голову:

— *Мы* были Европой, Марат, пока *вы* не явились. Пустой у нас спор.

Она вынула из воды одну из своих беломраморных ног и пяткой потрепала Марата Моисеевича по затылку:

— Давай полотенце. И вытри меня. Мне нельзя наклоняться.

Слизывая с нижней губы вкус земляничного мыла, граф Данило почти на руках вынул из остывающей ванны эту тяжелую, всю в каплях жемчужных, всю в черных колечках, всю в нежной и скользкой несмывшейся пене высокую женщину, в теле которой, под пеной и мылом, дрожал этот птенчик.

Ночью, когда они уже засыпали и тяжелая грива ее распущенных волос заваливала половину мощной грудной клетки Марату Моисеевичу, он вдруг вспомнил о том, о чем давно собирался поговорить с нею.

— Аделочка, я коммунист, — гордо сказал Марат Моисеевич в темноту. — Я хотел бы, чтобы наши дети были коммунистами, потому что выше этого нет ничего. И нет ничего важнее, чем отдать свою жизнь за счастье угнетенного человечества. Я так их и буду воспитывать. В этом ключе. Ты согласна?

Адела глубоко вздохнула:

— Фун мэшугене гендз — мэшугене гривн...

Марат Моисеевич удивленно приподнялся на локте:

— Что ты говоришь, Адела?

— Я говорю: «От сумасшедших гусей — сумасшедшие шкварки». Так бабушка мне говорила.

— Какие еще сумасшедшие гуси? — затрясся Марат Моисеевич. — Теперь, когда у нас двое детей, к чему мне твои эти глупые штучки?

— Ну, пусть коммунисты, — миролюбиво пробормотала Адела. — Пусть хоть пионеры! По мне, лишь бы были здоровы и сыты. Но я повторяю тебе, мой родной... — Голос ее из медового и сладкого стал грубым. — Но я повторяю: ты не изменяй! А то... Ох, Марат! Я тебе не завидую!

Зима в Новосибирске наступила рано: на октябрьские пошел сильный снег, и утром седьмого ноября, когда во всех человеческих жилищах готовились к отмечанию великого праздника, и резали заранее засоленную рыбу на куски, и терли морковку — подмороженную, вяловатую — для свежих салатов, и ставили тесто в кастрюлях в самые теплые уголки, накрывали его полотенцем и часто подходили, как к живому человеку, наклонялись, заглядывали в липкое, без черт, лицо: пора бы уже и подняться! — в этот день, то есть седьмого ноября, открылся каток, и Адела с большим животом и распухшими губами стояла у окна, смотрела на улицу, по которой бежали оживленные девушки и молодые люди с коньками на веревочках, перекинутыми через острые плечи, и с нею случилось такое, чего никогда не случалось: тоска. То ли этот снег, сияющий, медленный, словно начало — о самое, самое! — «Венского вальса», а то ли чужой, недостроенный город, чужая, в снегу и дыму от мороза река вдалеке, то ли вдруг пришедшая к ней мысль, что все мы когда-то умрем: Виола умрет, нерожденный младенец, Марат и старуха, которую сейчас поднимают две вежливые заснеженные девушки, поскольку старуха упала и встать не могла, — да, все мы куда-то уйдем навсегда, нас больше не будет, и Бени не будет... Легкое отвращение, ничуть не похожее на то жгучее чувство, которое наступало сразу, лишь только отросток сознанья ухватывал в месиве памяти Беню, — это легкое, чтобы не сказать примирительное, отвращение напугало ее.

«Да что это я? Я совсем ослабела, — подумала она и прижала к своему горячему бедру кудрявую голову робкой Виолы. — А если и я так, как эта... Умру? Рожу и умру? Это часто бывает!»

— Пойди поиграй, — сказала она и оттолкнула Виолу, которая своим дыханием начала мешать ей думать. — Нельзя всё за мамину юбку цепляться!

Расширенным взглядом она проводила послушную дочь, которая на своих коротких, прямых и очень похожих на Бенины ногах поплелась на кухню, и тут же отчетливо увидела себя спокойно лежащей в гробу — всю в цветах и новые черные туфли надеты. Ей стало и страшно, и скучно одновременно. Со всеми так будет. Ведь ждут не дождутся быстрей закопать! Адела засмеялась невеселым, но громким смехом и вдруг почувствовала, как у нее отяжелел низ живота. Потом что-то капнуло, как из-под крана. Она подставила ладонь, и на нее полилась кровь. Она поняла, что это что-то связанное с ребенком и что-то ужасное — может быть, смерть, — и стала метаться по комнате. Телефона в новой квартире еще не было, но она знала, что на первом этаже, у одной из артисток музкомедии, есть телефон, потому что Марат попросил разрешения поздравить с днем рождения по телефону своего оставшегося в Петрозаводске двоюродного брата, и эта артистка, которой по возрасту лет девяносто, его ко всему еще чаем поила. Забыв про Виолу, она захлопнула квартирную дверь и, оставляя на каждой ступеньке по несколько капель густой темной крови, спустилась на первый этаж. Артистка музкомедии с двумя островками былой красоты в виде глаз — огромных фиалок и очень лучистых, —

в розовом коротком халатике, как будто она живет не на первом этаже многоквартирного дома в суровом советском городе Новосибирске, а где-нибудь, скажем, в далеком Сорренто, и ест виноград, и купается в море, поэтому ей так и нужен халатик (пошла, окунулась в лазоревых водах — и снова легла на плетеное кресло), вот эта артистка открыла Виоле, увидела кровь, образовавшую небольшую лужицу у самой двери, схватилась за щеки и бросилась сразу звонить в «неотложку».

«Неотложка» приехала одновременно с Маратом Моисеевичем, который лихо спрыгнул с подножки трамвая, слегка подмигнув золотисто-румяной, как персик, девчонке, и, неприятно растревожившись от вида медицинской машины, стоящей у его нового дома, вошел осторожно в подъезд, из которого навстречу ему два санитара выводили под руки бледную, на подогнувшихся ногах жену его Аделу Вольпину.

— Пропусти, парень, — грубо сказал ему один из санитаров, — обождать не можешь? Видишь — больного спускаем.

Марат Моисеевич прижался к ледяному столбику, подпирающему навес над подъездом. Адела повела на него особенно черным на фоне белизны новосибирского снега глазом и кротко сказала:

— Теряем ребенка.

Марат Моисеевич ахнул и хотел было рвануться за ней в эту медицинскую машину, но Адела остановила его дрожащей рукой:

— Там дочка одна. Иди лучше к дочке, Маратик.

К полуночи Марат Моисеевич узнал, что жена его оставлена в больнице с диагнозом «угроза непреднамеренного прерывания беременности» и будет лежать там не менее чем шесть-семь недель. Посетители не допускаются, поскольку зима, повышенная опасность вирусных заболеваний и, кроме того, карантин. Передачи принимаются раз в день, список продуктов строго ограничен. Артист Вольпин схватился за свои маслянистые черные виски. Кроме тревоги за будущее Аделы и нерожденного сына, тревога по поводу того, как он проживет эти шесть недель, кто будет возиться с несчастной Виолой, пока он играет в театре, ударила в голову так, как в ствол ударяет внезапная молния и тут же насквозь прожигает его. Собравшись с силами, Марат Моисеевич написал Аделе осторожную записку с вопросом, как быть и что делать.

Человек мой самый любимый на свете! — ответила ему Адела мелким и красивым почерком. — *Я отдала бы жизнь, чтобы помочь тебе, но рождение нашего сына поставлено под угрозу. Я должна лежать с подвязанными кверху ногами и ждать. Врачи говорят, что это единственный способ. Если бы Виолу можно было поместить сюда, в мою палату, она могла бы здесь играть, и я бы следила за тем, что она кушает. Кормят ужасно, но ты должен с сегодняшнего дня покупать все на рынке, который называется «Хитрый рынок», и я уже была на нем вчера, пока ты репетировал. Может быть, я и надорвалась там, подняв целый мешок картошки. Другим женщинам не приходится таскать на себе продукты с Хитрого рынка, потому что у них для этого есть любящие и заботливые мужья. Но я привыкла к тому, что обо мне никто никогда не думает. Теперь тебе придется подумать о ребенке, у которого, кроме тебя, нет никого в целом белом свете. Мать ее лежит в больнице, и есть угроза для моей жизни. Слава богу, что у нашей дочери есть отец! Ни секунды не сомневаюсь, что ты ничего не пожалеешь ни для ее здоровья, ни для ее жизни. Спроси в театре, кто может отдать тебе на время свою домашнюю работницу, которая не будет воровать. Я знаю, что домашние работницы часто меняются и служат то в одном, то в другом доме, и очень много женщин приезжает сейчас из деревень, потому что всем ведь нужно зарабатывать. Тебе нетрудно будет найти такую женщину. Но я умоляю тебя, дорогой, не смей никого впускать в дом, если ты не знаешь этого человека! Никогда не бери в дом женщину моложе шестидесяти двух лет. А еще лучше — семидесяти. У таких людей всегда большой опыт, а Виола — очень непростой и капризный ребенок. Я буду ждать от тебя новостей.*

Целую тебя очень крепко и много, много раз.

Твоя любящая и верная жена

Адела.

Две балерины из кордебалета, которые много лет жили вместе, предложили Марату Моисеевичу младшую сестру своей проверенной немолодой домашней работницы Аннушки, которая как раз жаловалась, что сестра ее Вера Потапова недавно развелась с алкоголиком-мужем, работает в больнице ночной нянечкой, но денег не хватает, и она с радостью поможет известному артисту Вольпину, пока его жена Адела находится в стационаре с подозрением на непреднамеренное прерывание беременности. Марат Моисеевич согласился почти с восторгом, написал Аделе записку, что Веру Потапову видел, лицом очень нехороша, а фигурой и того хуже, припадает на левую ногу и в детстве болела какой-то болезнью, поэтому изредка дергает шеей; но женщина скромная, дочку Виолу вдруг так полюбила, как будто родную. Читая это восторженное письмо, Адела Вольпина нахмурила высокие черные брови и закусила губу: слишком уж пылко расписывал муж, граф Данило, лицо и фигуру Потаповой Веры. Совсем получилась убогая женщина. Однако искать сейчас, второпях, другую какую-то мужу помощницу, к тому же и лежа в больнице с задранными кверху и подвязанными ногами, Адела не могла. Пришлось написать, что согласна. В понедельник Вера Потапова должна была ни свет ни заря появиться в новой квартире Вольпиных с тем, чтобы отвести Виолочку в детский сад, сготовить еду и прибраться в жилище.

С ужасом Адела Вольпина представила себе, как, дергая по неизвестной причине шеей, чужая хромая живет в ее доме, готовит кисель ее мужу, стирает ему все трусы и рубашки и кормит несчастную дочку Виолу. Она потеряла покой. Увидеть бы ей эту самую Веру!

Несколько ночей Адела не смыкала глаз. Ночь темная, долгая в Новосибирске, и снег валит так, что ни зги не увидишь. Адела стонала, как зверь в своей клетке, приходя в отчаяние от беспомощности, пока одна свежая сильная мысль, родившаяся отчасти при помощи оперетты, вдруг не охватила ее. В столовой больницы работала баба, до странности похожая на Аделу Вольпину — такая же мощная, черноволосая, хотя при ненужном с Аделою сходстве совсем некрасивая. Баба, как рассказывали, вела непутевую жизнь, попивала, и если бы не постоянное заступничество главврача Парфена Андреича, не видеть бы ей никакой медицины, а лучше сказать, пищевой сытной точки. Написав своему доверчивому мужу-артисту, что здесь, в больнице, не допросишься даже пирамидону, если не сунешь вовремя рубль медсестре или нянечке, Адела дождалась, пока щедрый и ничего для нее не жалеющий муж передал ей десять рублей в конверте, и тут же ответила ему короткой, горячей от слез запиской, что бросила деньги на тумбочку, вышла в уборную, тут же вернулась и — всё: ни конверта, ни денег. Безропотный муж передал еще десять. Адела с трудом поднялась, накрасила губы вишневой помадой и очень разлапистой, грузной походкой, держась за живот, пошла к бабе. Баба курила «Беломор», жарко дышала в открытое настежь окно и очень при этом ругалась с верзилой, который в наброшенном белом халате шел с ведрами по направлению к моргу.

— Хочу вас попросить о маленьком одолжении, — сладко сказала Адела, но вдруг ухватилась за грудь и закашлялась.

— Чего? — спросила ее невеселая баба.

— Мне нужно, — понизила голос Адела, склоняя вишневые губы к неряшливо пахнущим сеном ноздрям собеседницы, — на пару часов выйти в город. На пару! А может, и меньше. Наверное: меньше.

— А мне что за дело? — ответила ей незнакомая баба.

И тут Адела совсем понизила голос и несколько минут, не отрываясь, шептала пьющей работнице столовой свои объяснения. А баба угрюмо кивала.

Настала сибирская жгучая ночь. Мороз обжигал. В половине двенадцатого ночи Адела в огромном тулупе и валенках, обвязанная пуховым платком, очень тихо, боясь разбудить, открыла ключом дверь квартиры. В кухне, где полагалось спать на раскладушке Вере Потаповой, никого не было, и чистота плиты, накрытого клеенкой стола, блеск кастрюль, надраенных, словно созвездия в небе, поразили Аделу. В маленькой комнате, свернувшись, как кот, спала дочка

Виола. Адела по привычке пощупала ей лоб: температуры не было, но нижняя губа, оттопыренная точно так же, как у проклятого Скурковича, была как всегда и ничуть не менялась. Ей стало жарко, и она скинула на плечи заснеженный, весь в голубых и сиреневых искрах платок незадачливой бабы. Потом очень тихо, совсем незаметно, открыла дверь спальни. Страшная картина предстала ее глазам.

На кровати, которую она выбирала с любовью и каждую дощечку на которой много раз прощупала заботливыми руками, лежал, крепко спал своим сном богатырским неверный — о, подло неверный, о, гнусный! — с горбинкой на смуглом носу и с кудрями, законный ей муж Марат Вольпин. А рядом, внутри этой чудной кровати, спиною к артисту, положив голову на его мускулистую худощавую руку и всею спиною к нему прижимаясь, спала моложавая Вера Потапова. Пол под Аделой зашатался, как подвесной мост над водоемом, она ухватилась руками за стену. Вера Потапова сладко потянулась во сне, повернулась к Марату Моисеевичу передом и, продолжая спать, уткнулась лицом в его сильную грудь. Адела пошла на кухню, отодвинула ящик, ощупью отыскала в нем нож для разделывания мяса и рыбы и вернулась в спальню. Но в спальне горел уже свет; Вера Потапова, похожая на молодого бычка своими широко расставленными глазами, сидела на кровати, свесив голые ноги с некрасивыми крестьянскими пальцами, и в ужасе прижимала подушку к совсем обнаженной груди. Марат Моисеевич торопливо натягивал брюки и что-то уже говорил громким басом. Увидев вошедшую, в огромных мокрых валенках, с которых текло прямо на пол, Аделу, они побелели и замерли оба.

— Адела! — мученически сказал Марат Моисеевич. — Родная! Я все объясню. Ты не думай! У нас ничего с нею не было!

Адела не ответила, только молча пошевелила своими распухшими губами.

— Аделочка! — громко, как будто его слышат в зрительном зале, воскликнул Марат Моисеевич. — Детка...

— Не смей подходить! — просипела Адела. — Убью.

— Ой, мамочки! — взвизгнула Вера Потапова. — Ой, смерть моя, мамочки!

Из соседней комнаты, кулачками протирая заспанные глаза, вышла дочка Виола в зеленой пижамке с неброским рисунком.

— Адела! — сказал граф Данило. — Ребенок здесь. Видишь?

Адела оглянулась и увидела дочь.

— Скуркович проклятый! — пробормотала она.

Виола, разинувши рот, зарыдала.

— Сказала тебе: не реви! — огрызнулась Адела. — Ложись спать обратно!

С ножом в руках, она спиной отступила в коридор, не спуская глаз с Веры Потаповой и неверного мужа, открыла квартирную дверь, протиснулась в этом своем полушубке и мокрых раздавленных валенках в темень, и дверь за ней тут же захлопнулась.

— Марат Моисеич! — рыдая, повисла на шее артиста Потапова Вера. — Оставьте ее! Ведь зарежет!

— Папуся! — прижалась к ноге его дочка Виола. — Оставь ее, папа! Папуся! Зарежет!

Марат Моисеевич погладил ладонью их бедные и одинокие головы. Душа так болела, что хоть удавиться.

Адела Вольпина, шатаясь как пьяная, быстрыми, но неуклюжими шагами шла по направлению к реке. Нож она уже выронила, и что было дальше с ножом, неизвестно. Ей хотелось одного: перестать чувствовать то, что она сейчас чувствовала. Страшное желание мести, которое разом выпотрошило из нее все живое, когда эта Вера со сладкой зевотой прижалась своим спящим телом к Марату, толкало ее прямо в черную воду.

Занесенная первым снегом и уже скованная льдом река при виде Аделы и не шевельнулась. Она была мертвой, и снег на ней — мертвый, и птиц — даже этих голодных, всегдашних, которые мерзнут, но не улетают и часто зимой превращаются в комья блестящего серого льда, — даже этих пичуг непутевых там не было. Жадно бездомная смерть оглядела Виолу и к ней протянула бескровные ветви. Они еле слышно звенели от ветра. Несколько раз поскользнувшись и больно ободрав ладони обо что-то колючее, торчащее из-под снега, Адела наступила валенками на лед и изо всей силы застучала по нему пятками:

— Откройся! Откройся!

Но ей не ответили. Она опустилась на колени, сбросила варежки и голыми горячими кулаками начала колотить по мерзлому снегу:

— Впустите меня! Отворите! Впустите!

Река молчала. Адела перевела дыхание и приготовилась было стучать и кричать дальше, но что-то внутри живота вдруг плеснуло, порывисто, сильно, как рыба. И замерло. Снова плеснуло. Она положила ладонь на живот. И тут же внутри ее стало плескаться сильнее, сильнее — и стукнуло в сердце, и замерло снова, и насторожилось. Она догадалась, что это ребенок.

Ей сразу же пришло в голову, что, убивая себя, она убьет и ребенка. С одной стороны, это было правильно, потому что Марату станет еще больнее, но, с другой стороны, она ведь убьет не чужого ребенка — свою плоть и кровь! Лед затрещал, и тонкая трещина прорезала очищенную от снега грузным телом Аделы поверхность.

Она отползла назад, трещина стала заметнее. Тогда Адела поднялась и, обеими руками придерживая живот, начала пятиться от этого страшного места, потом, задыхаясь и бормоча проклятия, обдирая руки о колючки, вскарабкалась на берег и тут только перевела дыхание. Нечего было проводить время на этой реке посреди ее льда, мертвечины и мрака! Нужно было побыстрее лечь на больничную койку, попросить медсестру, чтобы ей как можно выше — да хоть к потолку! — подвязали ноги, и тихо лежать, тихо ждать. А как же: раз он постучался? Она побежала по направлению к трамвайной линии, ужасаясь, что в животе стало тихо, как будто ребенок заснул или умер, — и дикое сердце ее, пламенея, молилось, как в детстве.

На следующее утро Марату Моисеевичу удалось за хорошие деньги добиться свидания с женой. Старательно причесанный — волосок к волоску, — в белой накрахмаленной рубашке и черном концертном костюме, он нервно ходил взад-вперед под большим плакатом, на котором русоголовая женщина в простой, но аккуратной одежде целомудренно выставляла наружу молодой сосок, и было при этом написано: «Заботьтесь о вашей груди своевременно!»

Марата Моисеевича передернуло от брезгливости, и мысль, что сейчас он увидит Аделу, покрыла его липким потом. Конечно: случится ужасное. Он поправил галстук, и в эту секунду вошла его жена в сопровождении старшей медсестры. Жена стала выше, крупнее и шире, но строгое лицо ее с опущенными ресницами не предвещало того скандала, на который рассчитывал Марат Моисеевич.

— Адела! — сказал он своим мягким басом. — Поверь: ничего у нас не было!

Адела сделала рукой спокойный королевский жест и покачала головой:

— Не надо, Марат. Ты, Марат, не мужчина. И мне безразличен. А спать можешь, сколько ты хочешь. Со всеми. Хоть с крысами. Хоть с пауками.

Она усмехнулась презрительно и приоткрыла рот, как будто сейчас запоет и запляшет. От удивления Марат Моисеич присел на диванчик под славным плакатом.

— Но я... Но послушай, Адела...

— Да нечего слушать! — отмахнулась она и лукаво засмеялась: — А как я тебя? Ведь ты не ожидал? — потом закусила легонько губу. — Вот наглая девка! Зачем тебе эти простецкие девки? Под боком театр: там шлюх сколько хочешь! Одних балерин восемнадцать. Чем плохо? Еще, говорят, привезут. Ближе к лету...

— Адела, — решительно сказал Марат Моисеевич и хотел было дотронуться до ее плеча.

Она отскочила как ошпаренная. Глаза ее вдруг побелели.

— Чтоб ты — никогда! Чтобы пальцы отсохли! Я руки тебе отрублю! Вот запомни!

Марат Моисеич совсем растерялся:

— Адела, но дети...

Она мрачно, обреченно посмотрела на него.

— Ребенка рожу, — сказала она с угрозой. — Без отца не оставлю. Но ты ко мне не подойдешь. Запомни, Марат. Никогда. Хуже будет.

Какая была потом жизнь? Да долго рассказывать! Мальчик родился, хорошенький мальчик. Назвали Алешей. Осень, зиму и весну проводили в Новосибирске, летом выезжали на гастроли. Марат Моисеевич получил звание заслуженного артиста и был одно время парторгом в театре. Аделе не давали ведущие партии, ссылаясь на то, что она слишком массивна для того, чтобы играть влюбленных, любовниц, любимых и любящих. Она перешла на комических старух, нянек, негритянок, папуасок, разлюбленных жен — да кого бог пошлет! Играла со смаком, и ей всегда хлопали. Страшным было лицо ее в гриме старой негритянки. Страшными — выпуклые белки под выщипанными в ниточку бровями, вокруг которых кожа потела так, собираясь в складки, что грим очень быстро стекал, и около глаз были белые пятна.

Марат не менялся. Фрак шел ему больше, чем раньше, — так все говорили.

Квартиру они поменяли с доплатой и жили теперь в пятикомнатной. Квартира сверкала. Двенадцатилетняя Виола со своими скорбными глазами-полумесяцами должна была чистить, и мыть, и скрести. Адела могла налететь, словно ястреб, заметив пылинку. Сыночек Алеша был мягким, смешливым, привязанным к маме. Адела носила его на руках, потом — когда вырос и стал большим, крупным — водила за ручку. Ни разу не тронула пальцем. Виолу по-прежнему била, таскала за толстые косы, желала ей смерти, но также случалось, что и целовала, ласкала, кусала. Всегда только в шутку, нисколько не больно. Они были — дети, родные щенята, ее плоть и кровь. И суки-волчицы кусают помет свой.

Внутри этого большого, хорошо обставленного, со всегда набитым холодильником дома происходило следующее. Ребенок Алеша, немного капризный и очень балованный, любил прибегать к ним в кровать и спал между ними, свернувшись. Во сне его толстые щечки горели. Большая Адела лежала у стенки, Марат Моисеевич — с краю. Те слабые испуганные попытки, которые он несколько раз делал за эти годы, пытаясь опять стать супругом Аделе, приводили к одному: она приоткрывала рот точно так, как тогда, в больнице, когда он пришел, накрахмаленный, тихий, и стал объяснять ей про Веру Потапову. Она приоткрывала рот, как будто весь зал, все бинокли, все глазки, забыв обо всем, видят только Аделу; по лицу ее разливалась темная волна презрения, блестели жемчужные крупные зубы. Одною рукой отодвинув Марата, другую прижавши ко лбу, она заливалась безудержным смехом, и груди вздымались, как волны на море, и смех проникал сквозь кирпичные стены, тревожа просторы бескрайней Сибири.

Она хохотала, она заливалась, а он сидел, гордый, в трусах, с голой грудью, на которой уже начали слегка седеть его кудрявые волосы, и чувствовал, что он немного на сцене, поэтому просто вскочить, дернуть в кухню, включить громко радио, где часто пели все те же любимые старые песни, не мог: он бы этим разрушил спектакль. Сидел на кровати в трагической позе, а именно: боком к торшеру, прижавши к глазам своим — влажным, с густой поволокой — красивые руки, следил за весельем. Адела с трудом продиралась сквозь хохот:

— Марат! Ха-ха-ха! Ты давно не мужчина. Зачем ты мне нужен? Не знаешь, Маратик?

Тогда (словно занавес падал, а люди, шурша и дыша, уходили из зала) он все-таки вскакивал: жалкий и гордый, в трусах, с серебристою, голою грудью, шел в кухню, пил воду из крана и слушал, как *ночь напролет соловей нам насвистывал...*

Их знал целый город. Они были люди известные, яркие. Все деньги они проживали. Широта и жадность Аделы доходили до абсурда. Она закупала продукты — мешками. Везде процветали знакомства и связи: на рынке, на базе, в молочном и в рыбном. Везде оставляли и предупреждали:

— Адела Исаковна, нужно икорки? Вчера привезли.

Ей ВСЁ было нужно. Икорку, бананы, урюк, шерсть, колготки. Но деньги кончались. Она занимала. Потом занимала еще, у других. И первым немедленно все отдавала. Потом занимала у третьих, четвертых. Но были: икорка, урюк и колготки. Могли завести и бананы на базу, могли клюкву в сахаре. Не напасешься! Марат не мешал ей. Дом — полная чаша. И дети обуты, одеты. Она приходила к портнихе, журчала:

— Вот это пальто моей мамы. Алешеньке выйдет костюмчик и брюки. Виоле останется, может, на юбку? Ах, нет? Не останется? Ну, и неважно. Мы летом играем в Литве; мне сказали, что там можно пряжи набрать на всю жизнь. Тогда я и вам привезу, как же, как же! Да вы же колдунья! Без вас мы бы голыми просто ходили. Я лично бы голой — клянусь вам — ходила!

В конце июня театральный сезон заканчивался и нужно было ехать на гастроли. Неделю жили в криках и пощечинах. Адела кричала и била Виолу. Марата нельзя, а Алешу подавно. Но руки горели: хотелось ударить. Виола с ее бестолковой походкой и вечным испугом в опущенных глазках была пусть не лучшей, но все же мишенью.

— Скуркович проклятый! — кричала Адела. — Зачем тебе кукла? Оставь эту куклу! Без куклы поедешь!

Виола торопливо клала куклу на пол, и слезы лились прямо кукле на чепчик.

— Ей что, на полу разве место? А ну-ка, иди, я тебе объясню, где ей место! Иди, моя радость! Поближе! Поближе!

И била с размахом, с душою, от сердца. Виола икала от тихих рыданий. Марат Моисеич, конечно, вступался:

— Не смей бить ребенка! Кому я сказал? Какая ты мать! Ты не мать! Ты уродка!

Адела вдруг вся розовела от счастья.

— Как, как ты сказал, мой хороший? Уродка? Я правильно слышу? Кто это — «уродка»? Та шлюха, с которой ты спишь, мой хороший! Запомни навеки! Твоя сифилитичка!

Марат Моисеич подхватывал на руки дрожащую Виолу и запирался с ней в маленькой комнате. А в кухне гремел ураган.

— Сегодня повешусь! — кричала Адела. — На этой веревке! Вернешься — меня уже больше не будет! Идите все к черту! Чтоб всем вам подохнуть!

Маленький, с кудрявым затылком ребенок Алеша подбегал к матери и утыкался вздрагивающим лицом в ее колени. Адела смолкала испуганно.

— Сыночек! Мой сладкий! Ты что, мой сыночек? — Прижимала его к себе с силой, от которой у Алеши перехватывало дыхание. — Любимый ты мой,

мой любимый, мой сладкий! А кто у нас сладкий? Кто самый любимый?

И так целовала, что щеки Алеши как будто бы маками вдруг осыпало.

Гастроли Новосибирского театра музыкальной комедии случались и в Киеве, и в Сыктывкаре. И в разных местах. Тяжело было, жарко. Потные, измученные артисты, только что покинувшие поезд, где их трясло двое, а то и четверо суток, с детьми, с ночными горшками, с недоеденными курами в промасленных газетах, сильно пахнущие духами и одеколоном (душились, чтоб собственным телом не пахнуть), расселялись в какой-нибудь жаркой и пыльной гостинице, и тут же начиналась беготня из номера в номер: то градусник нужен — ребенка продуло! — то спички, то выпить. А скоро спектакль.

Адела решила раз и навсегда: никогда не оставлять детей одних в гостинице. Пусть лучше сидят за кулисами. Пока папа с мамой кривлялись за деньги, Виола тихонько качала Алешу и пела ему то, что пели на сцене:

— Да-а-а! Я всегда была-а Пепита-дьяболо, а дьяволам, а дьяволам на всё-ё-ё пле-е-ева-а-ть!

И ножками, точно такими по форме, как ноги забытого бедного Бени, стучала по полу. Алеша капризничал.

С годами Марат Моисеевич начал болеть, и новосибирские светила (Адела к другим его не подпускала) искали в нем язву, песок, даже камни. И, всё обнаружив, лечили упорно. С багровым от напряжения лицом Адела часами стояла на кухне и терла морковь, терла черную редьку, рубила капусту и всё задыхалась с ее этой грузностью от испарений. Но ели всё свежее, с пылу и с жару.

По состоянию здоровья Марату Моисеевичу часто предлагали путевки то в Ессентуки, то в Минеральные Воды. Бывало, что и в Кисловодск.

— Смотри, только сифилис не привози нам! — провожая его на вокзале, говорила Адела. — Я в книге читала: он передается не как гонорея, а элементарно. И через посуду он передается. Ты можешь детей заразить, мой хороший.

Потом улыбалась медовой улыбкой:

— Ах, боже мой, боже мой! Что я сказала! Ведь ты не мужчина, Марат! Я забыла!

Марат Моисеевич дергал щекою. Скорее бы в поезд! Но дети... Их жалко. На перроне, однако, могли оказаться знакомые, и Адела прижималась лицом к лицу Марата.

— Не смей есть сардины! — шептала она. — Тебе это — смерть!

— Да какие сардины! — с достоинством отвечал Марат Моисеевич, прислушиваясь к оглушительному стуку ее сердца и нюхая запах знакомых волос. — Там все отварное.

Поезд медленно отплывал. Ах, как все прекрасно, печально мелькало: Адела в ее новом платье в горошек, кудрявый Алеша, притиснутый к боку большою рукою ее в ярких перстнях, Виолочка с красным сосудиком в глазе (вчера только лопнул, но главный профессор уже успокоил: бывает, проходит), киоск с мороженым, хриплый носильщик, обрывки какой-то ненужной бумаги, — ах, Боже мой, так ведь мелькает вся жизнь, а ты отплываешь и машешь платочком!

В Ессентуках, но бывало, что и в Кисловодске, Марат Моисеевич вмиг выздоравливал. Песок высыпался, и камни с ним вместе, а язва сидела так тихо, так смирно, что все про нее забывали: сиди там! По утрам граф Данило прогуливался по аллеям санаторного парка в красивой пижаме, надушенный «Шипром», смотрел оживленно вокруг, усмехался. Потом принимал очень нужные ванны и пил, как козленок, из всех водоемов. Приятные шли пузырьки по желудку, и изредка было немного щекотно. Наевшись безвкусного и отварного, он долго и крепко — под шум старых вязов — спал в комнате, но к четырем просыпался. В четыре был полдник, всегда очень сытный: давали кефир или ряженку с плюшкой.

Вечером начиналось самое увлекательное: сначала кино, а на сладкое — танцы. Марат Моисеевич, усмехаясь, высматривал самую хорошенькую и, нежно обняв ее крепкую талию, пускался с ней в пляс. Самая хорошенькая притоптывала каблучками, кудряшки ее веселились. Она подпевала задорным пластинкам:

И теперь пингвины людям рады,
Ведь люди для пингвинов
откры-ы-ыли м-и-ир!

Ведь лю-ю-ди-и для пингвинов
откры-ы-ыли мир!

Марат Моисеич кружил ее быстро и сам подпевал, заглушая артистов:

Опять от меня сбежала
последняя электричка,
И я по шпалам, опять по шпалам
Иду-у-у-у домой по привычке!

К полуночи танцы кончались. Марат Моисеевич провожал самую хорошенькую к женскому корпусу. Она трепетала и щурилась. В двадцати метрах от женского корпуса он замедлял шаги и останавливался под вековым буком, но часто бывало, что вязом. Хорошенькая привычно приваливалась спиной к стволу и закрывала глаза. Кавказские звезды, строгие и недоступные, как черкешенки, сияли презрительно им на затылки. Марат Моисеич осторожно притрагивался сухими горьковатыми губами к ее шее. Хорошенькая открывала глаза.

— Какие глаза у тебя, дорогая! — шептал он, чувствуя, как весь вдруг становится очень горячим.

— Тебе они нравятся? — уже сомнамбулически лепетала хорошенькая.

Марат Моисеич отрывал ее от вяза и притискивал к себе. И тут вся горячность его пропадала.

«Смотри, только сифилис не привози нам!» — журчал сквозь листву сладкий голос Аделы.

Ах, да не сифилиса он боялся! Откуда там сифилис, в Ессентуках-то? Ему становилось вдруг страшно другого: *она* была рядом, жена. Она наблюдала за ним сквозь деревья, он чувствовал запах волос ее, губ, и все эти куколки, все статуэтки не шли ни в какое сравнение с нею. Граф Данило нарочито закашливался и отодвигался.

— Пойдем, дорогая, — бормотал Марат Моисеевич, чувствуя, что стыд делает его ниже ростом. — А то у вас двери закроют.

— Пустите меня! — клекотала, как птица, которой нажали на горло, партнерша. — Пустите!

«А кто тебя держит? — думал про себя граф Данило. — Чудачка какая...»

Спотыкаясь и прижимая к себе сумочку, женщина убегала в сторону величественного Машука, любимой поэтом горы Закавказья. Марат Моисеич понуро шел прочь.

«Они там, наверное, легли, — думал он про детей и Аделу. — Нет, вряд ли она уже спит... Еще рано...»

Он и сам не понимал, что с ним происходит. Она ненавидела его и мучила сильно, как только могла. Из дома хотелось бежать. Не было ничего ужаснее, постыднее того, что она делала с ним, цепляясь при каждом предлоге, скандаля, бросаясь предметами. Но не было и ничего уютнее этого дома, который она свила так же, как птицы свивают гнездо. В гнезде и росли эти скромные дети, которых она заслонила от мира; росли среди бурь и ужасных скандалов, но были при этом чисты и румяны, и, глядя на них, можно было подумать, что их поместили в подводное царство. Среди розоватых кораллов, ракушек, на той глубине, где почти невозможно дышать, где тебя охраняет огромный Нептун с молдаванским акцентом, росли эти дети и не подымали глаза свои вверх — там, где были другие, нездешние бури, нездешние крики, где кто-то тонул или матом ругался.

Марат Моисеевич ненавидел свою жизнь и одновременно обожал ее. Он ненавидел свою жену, но жить без нее было все равно что танцевать на плохо прилаженных протезах. Все остальное, кроме ее огненно-красных дымящихся борщей и аккуратных котлет, в которые она закладывала кусочек сливочного масла и щепотку укропа, не имело никакого вкуса. По прежней привычке он изредка еще спал с другими женщинами и ласкал их, но по сравнению с нею все эти женщины были все равно что тени деревьев, а не сами деревья или цветы, из которых кто-то уже высосал их этот густой, вызывающий слабость, а то даже и дурноту желтый сок.

Однажды, впрочем, поехала в Ессентуки и сама Адела. Виолочке было уже четырнадцать лет, Алеше — пять. Марат Моисеевич повез их в Ленинград, желая похвастаться там перед братом, какие же это чудесные дети. Адела в Ленинград не поехала: ненавидела невестку, жену брата Виктора, следователя и криминалиста. Жена была слишком «советской», похлеще Марата, Адела их всех презирала, но тайно. Любых разговоров, любых анекдотов боялась до дрожи: в театре стучали, на рынке стучали и даже в столовой, открытой при жэке, уже завелись две стукачки.

Готовясь к одинокому отпуску, сшила в театральном ателье шесть платьев, купила у новой гримерши, у здешней, духи «Же ву зэм», босоножки и сумку. Комната в санатории была на двоих. Соседка с лицом, на котором глазам не хотелось останавливаться, подозрительно посмотрела на вошедшую Аделу с ее чемоданом, соломенной шляпой и вмиг появившейся сладкой улыбкой и спрятала в тумбочку два апельсина. Ломать подозренья Адела умела, и вскоре соседка, подсев к ней поближе, и руки к костлявой груди прижимала, и носом своим угреватым сопела, и жаловалась на ужасную жизнь. На мужа особенно: муж был мерзавец.

— Я счастлива с мужем, — сказала Адела. — Ах, Господи! Чем только я заслужила? Пылинки сдуваем друг с друга, поверьте!

Соседка со страхом посмотрела на нее:

— Вы любите мужа?

— Я? Больше, чем Бога! — воскликнула пылко Адела. — Безумно!

— И он что, вам даже и не изменяет?

Адела достала помаду из сумки.

— Вы шутите, милая? *Он* изменяет? Зачем же ему изменять, вы скажите!

— Да он ведь мужик... Это козье отродье! — почти задохнулась от боли соседка. — Ведь им, как козлам...

— Мой муж — человек! — оборвала ее Адела. — Я дня не осталась бы рядом с мужчиной, который неверен. Да! Дня не осталась! По мне лучше пусть нищета, лучше голод... Но гордость должна быть у женщины, вот что! Иначе она, извините, подстилка, а вовсе не женщина, вы извините!

В столовой, аккуратно слизывая с ложечки кислую сметану и сквозь прищуренные ресницы оглядывая сидящих, Адела заметила немолодого, но статного, видного собою подполковника, у которого белые виски красиво подчеркивали живость и черноту его небольших, но загадочных глаз. Адела вздохнула всей мощною грудью. После обеда подполковник предложил прогуляться к подножию Машука. Адела сказала немного жеманно:

— Вы не отдыхаете после обеда?

— По мне, лучший отдых — такая прогулка.

По дороге новый знакомый очень интересно рассказал Аделе о природных ископаемых Закавказского края и даже немного про магму и лаву. Адела дышала взволнованно, жадно.

— Какая вы, Адочка...

— Что?..

— Просто лава! — ответил он страстно. — Рассудок теряю...

Адела опустила глаза, потом быстро подняла их к горным вершинам, опять опустила, опять подняла. Конечно же, с веером было бы лучше.

— Пойдемте ко мне! — закричал подполковник. — Я так не могу! Умоляю: пойдемте!

— Зачем? — очень быстро спросила Адела.

Он не ожидал и слегка растерялся:

— Ну, как же? Попьем коньячку, познакомимся ближе...

— Но вы ведь женаты! — сказала Адела.

Курортник смутился.

— Тут дело такое... Жена никогда меня не понимала.

— И что, вы готовы расстаться с женою?

Он сипло закашлялся:

— Как-то не думал...

— Ах, Бог мой! Скажите! Он как-то не думал... Зачем же тогда нам знакомиться ближе?

Подполковник достал носовой платок и вытер лоб, покрывшийся крупным потом.

— Какая вы странная женщина, Ада! Сказали бы, что не хотите, и ладно...

— Пойдемте! — вдруг резко сказала Адела.

Подполковник, чувствуя большую рассеянность и даже частичное угасание пыла, поплелся за ней к корпусам. Машук помахал им вослед белой шапкой. Пока шли по заасфальтированной дорожке, ведущей к подъезду самого главного здания, в котором комнаты были не на двоих, как у Аделы, а на одного человека, подполковнику казалось, что весь санаторий следит, как он, строгий, в боях отличившийся, умный, солидный, идет к себе вечером с толстой артисткой. Он мог бы, конечно, сказать очень громко: «Журнал в моей комнате. Если хотите, давайте зайдем, я вам сам прочитаю об этом лекарстве». Чтоб слышали люди. Но он не сказал. Презрительное и ярко-красное от стыда не за себя, а, как показалось полковнику, за него (хотя он-то чем виноват?) лицо Аделы было таким надменным и недоступным, и так она гордо и лихо шла рядом, так громко дышала и так раздувала широкие ноздри, что он не людей, а вот эту Аделу боялся сейчас, как огня. И недаром. Войдя к нему в комнату, Адела скинула свою соломенную шляпу и села на кресло у журнального столика. Судя по трепетанию ресниц и крохотным капелькам пота, покрывшим предплечья, она волновалась.

— Ну, что же? Тогда коньячку? — стараясь быть бодрым, сказал подполковник.

— Налейте. Я, впрочем, не пью, — уронила Адела.

Немного задрожавшими руками он достал из чемодана непочатую бутылку армянского коньяку и с горечью вспомнил, с каким наслажденьем, с каким предвкушением встреч, вроде этой, он эту бутылочку клал в чемодан, какие его волновали надежды! Потом принес из душевой два стакана, на одном из которых были свежие следы зубной пасты, разлил коньячок по стаканам, нарезал лимон.

— За вас, дорогая! — сказал подполковник.

Адела медленно, глядя ему в глаза, выпила. Подполковник крякнул и, мысленно перекрестившись, как в далеком деревенском детстве учили его бабка с дедкой, положил широкую ладонь на выпуклое колено новосибирской артистки. Адела не двигалась.

— Красавица! — чувствуя, что коньяк все-таки ударяет в голову и кровь закипает, сказал подполковник. — Ну, надо же! Бедра какие! А волосы! Это же надо!

— Чего вам всем «надо»? — спросила Адела, и брови ее задрожали.

— Да, ладно, об чем рассуждать! — забормотал подполковник и нетерпеливыми руками начал закатывать шелковую юбку Аделы, желая проникнуть поглубже. — Давай еще выпьем, а там и за дело!

— За дело? — повторила Адела. — Тогда раздевайтесь.

— А это мы мигом! — сказал подполковник, краснея до цвета пиона. — Мы разом!

И живо стянул через голову рубашку, торопясь, расстегнул брюки. Адела сидела недвижно, как статуя.

— А ты что же... это? Сидишь, как принцесса, — угодливо прыснув, спросил подполковник. — Мужик ждать не любит! Давай я тебе помогу. Где тут это... застежка?

Адела встала во весь рост, переступила через его упавшие брюки и сделала шаг к двери.

— Куда-а-а? — зарычал подполковник, хватая ее за локоть. — Нет, милая, так не годится! Ты что ж? Распалила — и дёру?! Нет, так не годится!

— Пустите меня! — прошептала Адела, вырывая свою руку.

Но он уже был вне себя.

— Какое «пустите»? — брызгая слюной, бормотал подполковник, пытаясь сорвать с нее блузку. — Нет, кошечка, дудки! Какое «пустите»?

Неожиданно для своей полноты Адела вывернулась из его рук, щелкнула щеколдой и, распахнув дверь, вытолкнула наружу потерявшего равновесие подполковника. Женщина в модном зауженном книзу платье, идущая весело по коридору, застыла при виде большой гневной дамы и в синих трусах пожилого мужчины, которые выпали вдруг ей под ноги, как будто птенцы из родного гнезда.

— Ай! Ай! Безобразники! Ах, безобразники! — закричала модница. — Да где же, о Господи, администратор? Куда же он смотрит?

Почти обнаженный, рычащий как лев подполковник налег целым телом на дверь, но дверь не открылась: замок сам защелкнулся. По лестнице снизу бежал администратор, за администратором — милиционер, за милиционером — сестра-хозяйка, и вскоре все происходящее в коридоре резко напомнило съемку художественного кинофильма на студии Довженко.

— Документы! Я вас попрошу предъявить документы! — И милиционер, ухватив за руку подполковника в трусах, загородил вход в комнату, и без того закрытую.

— Пустите меня, черт возьми вас! — кричал и брызгал слюной подполковник. — Какие еще документы? Откройте мне дверь!

— Откройте ему, — царственно приказала Адела. — Его документы там, в комнате.

— А вы кто такая? — развернулся к ней милиционер. — А вы что здесь делали?

— Илья Николаич, — забормотал администратор в уху знакомому милиционеру. — Впустите их в комнату, ну их, ей-богу! А там уже и протокол... разберемся...

Милиционер кивнул, и администратор, торопливо достав из кармана нужный ключ, открыл дверь. Подполковник немедленно бросился к своим брюкам и тут же натянул их. Адела остановилась на пороге. Лицо ее застыло в презрительном недоумении.

— Что у вас тут произошло, гражданин Карпов Михаил Александрович? — заглядывая в паспорт, строго спросил милиционер.

— Я вам объясню, — забормотал подполковник, — тут дело такое... ну, личное дело... не хочется мне, когда тут посторонние...

— Он что, вас насиловал? — прямо и просто спросил милиционер у молчаливой Аделы.

Она покачала своей массивной растрепанной головой.

— Претензии есть к гражданину?

— Нет. Нет ничего. Я пойду, — вдруг сказала она.

И, отодвинув рукою администратора, широкой, свободной походкой, которой она уходила со сцены, когда вслед ей радостно рукоплескали, вышла из проклятой комнаты и, не оглядываясь, пошла по коридору к лестнице.

Она не вернулась к себе в эту ночь. Сначала шла, не разбирая дороги, спотыкаясь и хватаясь рукою за сердце, которое не болело, но она знала, что нужно хвататься за сердце — вернее, за левую грудь, — когда очень страдаешь. Выйдя за территорию дома отдыха, она глубоко потянула ноздрями снежный, ледяной запах воды, идущий откуда-то сверху, и заторопилась к нему. Вдали были горы, уже облаченные ночью в густую, сквозящую от порывистого ветра синеву, вдали были звезды, и пахло водою. Ее разрывали рыдания, и, почувствовав, что больше не может идти, она свернула с дороги, упала на черную пышную траву, зарылась в нее и затихла. Если бы кто-то из людей наткнулся тогда на Аделу — мать сына и дочки, артистку в театре, жену и хозяйку, — он должен был просто до слез удивиться: на обочине пустой дороги лежало больное животное, дикий — от стада, от стаи, от своры таких же — отбившийся зверь и готовился к смерти. Каждая складка его огромного, покорившегося тела, каждый клочок черной шерсти на его голове, каждая травинка, облепившая его выпуклую спину, прильнувшая к ней и притихшая, говорили о том, что зверю уже никогда не подняться: он болен смертельно, а может быть, ранен, а может, и ранен, и болен — всё вместе, — но только ему никогда не подняться.

Она лежала тихо, так тихо, как, бывало, лежала в подвале старика-молдаванина, который строго-настрого запретил ей плакать и разговаривать. Все, что приходило в голову, пугало ее: сначала австрийцы, а после румыны, подвал, пыль, картошка, потом этот парень, который приехал из Киева вроде. А может быть, и не из Киева. И как они вместе валялись в траве. Тут Адела стискивала зубы и переставала дышать. Он спрыгнул с трамвая! Увидел ее и — ведь спрыгнул с трамвая! От боли ее перевернуло внутри этой пышной растительности, большую и рыхлую, словно бы тесто, которое перевернули в кастрюле и снова оставили там, где и было.

Потом появился коротенький Беня и начал, как кошка, лизать ее руки. Она выдрала кусок травы и вместе с землею засунула в рот. И не закричала. Трава была мокрой. А как он тогда этой мокрой губой провел по груди ей, и стало казаться, что эта губа приросла к ней навеки? А все остальное? И как *это* пахло! Она вспомнила, как остро запахло раздавленным сыром, когда Беня начал содрогаться и стонать, лежа на ней, и как полилось по ногам и налипло! Тогда, ночью, она долго мылась во дворе из рукомойника, прибитого к дереву, а запах раздавленного сыра не уходил, он становился только сильнее, и утром, в училище, когда она Шуберта пела, — вот это: «Песнь моя летит с мольбою, а-а-а-а а-а-а-а!» — раздавленный запах забил вдруг дыханье.

Она приподнялась и широко открыла глаза. А самое страшное? Самое? Когда ее начало рвать по утрам и даже белки́ стали желтыми? Она сразу догадалась, отчего ее рвет, и съела все спичечные головки из большой коробки, надеясь, что это поможет умереть; но мать начала поить ее молоком, и отчим держал ее голову, они вливали ей в горло молоко, а она его выплевывала, но они не давали ей закрыть рот и снова вливали, давя на затылок.

Потом они жили в одной с Беней комнате, и он спал в носках. Перед глазами, которые вдруг заболели изнутри, закачались маленькие мужские ноги в черных носках. Она подняла руку, чтобы остановить это раскачивание, и у нее на ладони осталась горячая влажность потной Бениной ноги, только что вынутой из тесного башмака.

И все-таки дело не в Бене. Не в Бене! А в ком тогда дело? Она опять повалилась на живот, и что-то резиновое, юркое дотронулось до ее щеки. Червяк, может быть. Она не удивилась. Она была наполовину в земле, и ей не хотелось обратно, *на землю*. Нет, дело не в Бене, а в этом ребенке! Ребенок прилип к ней. Он к ней присосался. Никакой любви и никакой даже самой незначительной привязанности она не испытывала сейчас к этому ребенку, такому же, как Беня, с такими же, как у него, ногами и точно таким же приклеенным ртом. А пытка какая: сжимать эти щеки (ребенка) и вталкивать внутрь ей пищу! Иначе нельзя, она сдохнет иначе. Страх охватил ее: Адела увидела, как Виола перестает есть, какие-то люди накрывают ее простыней и сразу куда-то уносят. Нет, нужно кормить, продолжать эту пытку! И так будет вечно, до самого гроба. А муж? Ее этот муж, Марат Вольпин? Она тут же представила себе, как Марат Моисеич раздевает чужую женщину с круглыми глазами Веры Потаповой и, напевая, ложится на нее, а Вера Потапова дышит, как жаба: большим и разинутым ртом.

Сегодняшняя прогулка с подполковником Карповым к подножию Машука вспомнилась ей, как будто бы что-то далекое, странное. Как будто не с ней. Зачем она нарядилось в новое, одно из своих шести сшитых в театральной пошивочной платьев, и, виляя неповоротливыми бедрами, пошла рядом с ним, восхищаясь природой? Его нужно было убить. Он грязная лысая сволочь, и всё. Такой же, как муж, и такой же, как Беня, и точно такой же, как первый, с трамвая. Их всех нужно было убить, чтоб не лезли. И чтобы не лапали *там*, негодяи.

Трава, на которой она лежала, плавно приподнялась, как будто ее вдруг оторвали от земли. Адела почувствовала облегчение. Все, которых она ненавидела и которые мучили ее, остались на месте, и только она медленно-медленно внутри этой мокрой травы полетела. Ее тошнило от высоты, голова кружилась, но это всё мелочи, всё пустяки: они все остались, она улетает.

Марата Моисеича вызвали телеграммой: жена его попала в больницу с сосудистым кризом. Теперь опасность миновала, но возвращаться обратно в Новосибирск одной, с тяжелыми чемоданами, было рискованно. Марат Моисеич вылетел из Новосибирска немедленно и на следующее утро с горько поджатыми губами и страхом в своих — с поволокой — глазах явился в больницу. Шаркая на одном и том же месте шлепанцами по песку, блестя ярким лаком на всех двадцати очень скользких ногтях и рук своих белых, и ног своих крупных, жена его Адела Вольпина сидела на скамеечке в скверике и беседовала с другой больной в таких же разношенных шлепанцах. Она не видела Марата Моисеича, который бесшумною легкой походкой приближался к ним со спины.

— Она, уверяю вас, просто спекулянтка! — сладким и громким голосом говорила жена. — У нее каждый носовой платок стоит не меньше десяти рублей! А видели вы этот шарфик? Ну, как? С лошадиною мордой? Я себе такого шарфика не могу позволить! Нет, я не могу себе позволить такого шарфика с лошадиной мордой, хотя работаю как вол, а муж мой — заслуженный артист Карельской ССР. Но шарфик такой я себе не куплю!

— Но у нее муж не в театре выступает, он директор торговой точки. И просто на ней помешался, — сказала другая больная. — Вы видели этого мужа?

— На что там смотреть? — разозлилась Адела. — Пузатый мужчина! Конечно, с таким безобразным желудком ему нужно просто сидеть на диете, а он, извиняюсь, все ест, как животное!

Она сахарно засмеялась и откинула свою все еще красивую, синевой отливающую на солнце черноволосую голову. У Марата Моисеича отлегло от сердца: жена была такой же, какой она была и дома, в Новосибирске, и так же ее волновали вопросы чужой биографии, так же критичны остались ее рассужденья о ближних.

— Адела! — сказал он, дотрагиваясь до ее руки.

Она обернулась. Если бы Марат Моисеич не был артистом такого легкого и веселого направления в искусстве, как оперетта, а пел, скажем, в опере, где все серьезно, он тотчас заметил бы, как заблестели глаза у жены. Они заблестели затравленно, зрачки забегали из одного угла глаза в другой, как бегают мыши по клетке, со дна этих глаз быстро всплыло безумие, но тут же, себя испугавшись, пропало. Все это заняло, однако, не более чем тридцать секунд, и доверчивый Марат Моисеевич ничего не заметил. Она поднялась и, нашарив большою, немного отечной ногою свой шлепанец, красивым и сильным движением притянула Марата Моисеича к себе и крепко поцеловала в губы.

— Я так испугался! — низким голосом сказал Марат Моисеич. — О, как ты меня напугала! Я сразу всё бросил, сорвался...

— Боишься меня потерять? — медово спросила Адела, оглянувшись на свою собеседницу.

Та застенчиво потупилась.

— А кстати, нельзя ли у Нонны спросить, — опять заговорила Адела, — раз я все равно уезжаю, нельзя ли спросить: где тут можно купить этот шарф с лошадиною мордой? Пятнадцать, наверное, слишком, а десять и даже двенадцать бы я отдала. Но мне бы хотелось коричневый. А то потом, знаете, будешь локти себе кусать, что вовремя не купила, все на свете проклянешь! У меня в Москве — а я ведь там часто бываю — все время происходит одно и то же: прихожу, например, в «Детский мир», выбросили колготки, становлюсь в дикую очередь, стою. Покупаю шесть пар колготок Виолочке, больше в одни руки не дают. И надо тут же вторую очередь занять, еще шесть пар взять, раз уж ты все равно там, в этом пекле, — а мне уже лень, уже ноги гудят. Домой возвращаюсь и плачу: зачем я ушла? Вы скажете: зачем? Ведь шесть пар колготок ребенку — на месяц!

— Конечно, спрошу, — согласилась больная.

— Тогда я хотела бы два таких шарфа, — немного растягивая слова, спохватилась Адела. — Коричневый и голубой. И бордовый.

— Так три? — уточнила больная.

— Да, три. По двенадцать. По десять она не отдаст. Спекулянтка!

Повеселевший Марат Моисеевич прислушивался к ее словам, как к музыке чардаша.

— Пойдем, мой хороший! — заулыбалась Адела, беря его под руку. — Значит, вы спросите?

Как только они отошли и больная в таких же, как у Аделы, шлепанцах скрылась из виду, жена вырвала руку из его руки, и глаза ее стали неподвижными, как будто она вспомнила о чем-то и застыла на этом воспоминании.

— Побеспокоили тебя? — с ненавистью прошипела она. — Сорвался он, бедный! А что ты там бросил? Вернее, кого?

— Адела! — Марат Моисеич схватился за голову. — Я не это... Я просто сказал, что, как мне позвонили, я тут же схватил самый лучший билет и тут же поехал... И я...

— Да знаю я все! — отмахнулась Адела. Неподвижные глаза ее расширились и помутнели от ярости. — Ты думал, что я умерла? Ну, сознайся? От радости прыгал, наверное? С этой... Ну, как ее?..

Можно было бы закричать на нее, можно было затопать ногами, можно было, в конце концов, резко отвернуться и уйти куда-нибудь, хотя бы все к той же горе Машук, недаром, как видно, воспетой поэтом, но Марат Моисеич не сделал ни того, ни другого. Только что бывшее веселым и разглаженным лицо его стало темнеть, и глубокие складки прорезали его, как грузовик прорезает узкую проселочную дорогу после обильного ливня.

Прошло еще лет, скажем, шесть или семь. Марат Моисеевич Вольпин слегка поседел, полысел, но эта редковолосая серебристая голова ему подходила не меньше, чем та, к которой привык и он сам, и все благодарные чуткие зрители. Теперь он все чаще играл в париках, но пел и плясал даже лучше, чем прежде. Продукты, несмотря на объективные трудности со снабжением Сибири и Дальнего Востока, еле-еле помещались в большом холодильнике Вольпиных (самом большом!), но каждый день кто-то звонил, предлагая то шпроты, то сыр, то зеленый горошек.

Адела совсем располнела. Лицо ее стало широким, а волосы, прежде густые и блестящие, потускнели, и на висках появились рыжеватые пятна (она закрашивала седину); глаза потеряли свой блеск, и неподвижная тоска, которая остановилась в них, могла бы испугать любого, если бы Адела не скрывала этой тоски при помощи сахарно-белых улыбок. Теперь она готовила так много, что можно было прокормить не одну семью Вольпиных, а десять прожорливых жадных семейств. Всего они съесть не могли, и ей приходилось выбрасывать, но и это не останавливало трудолюбивую женщину, которая, вернувшись домой после спектакля, надевала халат и становилась к плите, где снова кипело, скворчало, дымилось с такою нездешней и яростной силой, как будто вода отделялась от суши и шло сотворение нашего мира.

С домашними своими, Маратом Моисеичем и выросшей дочкой Виолой, она разговаривала сквозь зубы, как будто была на них вечно обижена, но шились Виолочке новые платья (по вкусу Аделы), а Марату Моисеичу каждый день выдавался на репетицию термос с горячим бульоном и несколько разных по форме судков с протертыми фруктами и овощами. Алешу любила до остервенения. Тряслась над Алешей, и часто, когда он сидел за письменным столом и делал уроки, она подкрадывалась, наклонялась, прижималась ярко накрашенными губами к его затылку и так застывала: дышала любовью.

Виолочка долго ходила в девицах, ей строго-настрого было запрещено возвращаться домой после десяти часов вечера, а если она вдруг задерживалась, то заставала всегда одно и то же: мать в желтом огромном халате, с мокрыми, теперь уже короткими и уложенными под сеткой волосами, с мучнисто-белыми руками, похожая на древнего китайского императора, неподвижного и беспощадного, встречала ее в коридоре.

— Явилась? — щурилась Адела и мягкой огромной атласной рукою давала Виоле пощечину. — Будешь еще?

Невысокого роста, ладная, с глазами, как два серебристых полумесяца, Виола смотрела на мать в ожидании боли, к которой привыкла так, как привыкают к дождям и закатам.

— И что ты молчишь? — говорил император. — Ведь ты не глухая.

Белая атласная рука опять поднималась для удара. В ту же секунду из спальни, решительный, бодрый, в красивой пижаме, являлся Марат и вставал на защиту.

— Виола, ты завтра мне все объяснишь! — высоко поднимая брови, рокотал он. — Ты мать доведешь, а сейчас иди в комнату! Адела! Не смей бить ребенка!

— Какого ребенка? Ты что, мой хороший? — жемчужно и нежно смеялась Адела. — Я завтра повешусь. Я вам обещаю!

Театрально разводя руками, она уходила на кухню и хлопала дверью с такой страшной силой, что даже картины дрожали на стенках.

— Виола, ты маму убила, — обреченно бормотал Марат Моисеич. — Ты нас убиваешь своим поведеньем.

Виола садилась на корточки в коридоре, сжималась, и плечи ее начинали трястись. А утром Адела с густо пропитанными кремом щеками намазывала маслом огромные куски хлеба, устилала их колбасою и сыром так, как полы устилают коврами, и звонко кричала:

— Виола! Алеша! За стол! Все готово!

Они приходили, еще неумытые. Адела смотрела внимательно, строго.

— Садитесь и ешьте. Чтоб всё мне тут съели. Вчера ты морковь не доела, Виола. Доешь. Я натерла. А то ты ослепнешь. Нельзя без моркови.

Виола была на третьем курсе института, когда судьба свела ее с физкультурником. В соседний, недавно построенный дом приехала украинская семья. Зачем, неизвестно. Вообще ничего не известно про эту семью, кроме того, что она состояла из матери, работающей бухгалтером, и очень высокого стройного сына с большими, как у запорожца, усами. А впрочем, он, может, и был запорожцем. Физкультурником же он был точно, потому что вскоре после приезда его взяли преподавать именно физкультуру в то высшее учебное заведение, в котором успешно училась Виола. На вечер, посвященный наступающему Новому году, Виола пришла очень ярко одетой. Адела велела надеть перешитое платье из красного бархата: когда-то сама в это платье влезала и даже немножко его пообтерла; но так перешили — никто не заметит. Виола пришла в этом бархатном платье и с конским хвостом на затылке. Всякий раз, когда рядом не было Аделы, она чувствовала, что ей до смерти хочется сделать такое, от чего мать немедленно пришла бы в ужас: ну, скажем, запрыгать, запеть очень громко, кого-нибудь передразнить ради шутки. Она становилась немного манерной и даже слегка вызывающей. К тому же еще это красное платье: оно без конца привлекало вниманье. Заиграли вальс, и физкультурник подошел к ней своею пружинистой твердой походкой. Виола сказала какую-то глупость, и всё от смущенья. Потом закружились. На повороте он крепче прижал ее легкое тело к себе и спросил:

— Послушай, ты замужем или свободна?

— Свободна, — ответила кротко Виола.

— Придешь ко мне в гости?

— Когда? Прямо щас? — удивилась Виола

— Зачем «прямо щас»? А давай послезавтра! Придешь послезавтра?

— Приду послезавтра, — сказала Виола.

Мать ни о чем не подозревала. Ночью Виола встала с кровати и выскользнула из комнаты (Адела устроила гнездышко дочки по-своему: везде были куклы, и мишки, и зайцы) — она выскользнула и прокралась в ванную, где тоже стояли в красивом порядке шампунь «Бадузан», духи заграничные «Пани Валевска», духи

«Красный мак» и латвийские «Дзинтарс». Закрывшись на ключ и стащивши рубашку, глазами, похожими на полумесяцы, она начала изучать свое тело. Все девушки ее курса давно уже были не девушки, у многих из них обручальные кольца почти закрывали фалангу на пальце. Они были женщины и говорили такие слова, как «мой муж», «мой мужик», «вчера прихожу, мать заснула, мой пьяный, Дениска один, без присмотра, обосран...»

У них была острая странная жизнь с ее очень острыми тайнами: какие-то были «задержки» все время, часами сидели они в кипятке и грызли, как белки орех, аскорбинку, мужей ревновали, а сами — туда же, короче: у них была *жизнь*, и в этом все дело.

Адела в сетке на коротких волосах спала рядом с вечно неверным Маратом и даже представить себе не могла, что дочка Виола, немного в ладошку набрав «Бадузану», растерла его по дрожащему тельцу, потом извлекла из чехольчика бритву — отцовскую, трогать нельзя! — и побрила подмышки, живот, волосатые ножки, хотя это было совсем и ненужным: немногие брили их в Новосибирске.

Пришло послезавтра. Виола не была уверена: вспомнит ли о ней физкультурник, а если не вспомнит, куда же идти? Она знала дом, но не знала квартиры. Но физкультурник сам подошел в конце занятий, сверкнул ярко-рыжим зрачком запорожским, спросил деловито:

— Готова? Пошли-ка.

Бог пожалел дрожащую мелкою дрожью Виолу — ни мать, ни отец, ни брат младший Алеша не встретились ей на пути. Они вошли в очень тесную квартиру, где прямо в прихожей висела картина, на которой заснеженные ели уходили в подсвеченное закатом небо и лоси (один был постарше, другой помоложе) брели во глубь леса, и все называлось не то «Зимний лес», не то «Лоси в лесу». Они вошли, и аккуратный физкультурник сразу попросил Виолу снять ее белые ботинки на натуральном меху, ради которых летом гостившая у брата в Москве Адела две ночи стояла у «Детского мира» и спать не ложилась, пока не достала вот эти ботинки, в которых Виола, забыв стыд и совесть, пришла к физкультурнику.

— А то наследишь, — сказал он. — Проходи.

Комната была всего одна, и в ней стояла очень высокая кровать, вся выложенная большими и малыми белыми подушками, вся в тюле, точь-в точь будто свадебный торт, который, давясь и кромсая, съедают, хотя есть уже неохота, наелись, — стояла такая кровать, стол и горка со множеством разных хрустальных изделий.

— Мать любит посуду, — сказал физкультурник.

— Ты что, на ней спишь? — прошептала Виола.

— Нет, мать на ней спит. Я на кухне.

Он ловко подцепил обеими руками верхний слой богатого белого убранства и снял его так же, как пену снимают, когда молоко закипает в кастрюле. Под пышной белизной оказалась простенькая, ситцевая, в мелкий цветочек, простыня и две подушки в простых незапоминающихся наволочках. Физкультурник быстро посмотрел на Виолу, провел языком по красивым усам и сдернул к чертям простыню. Остался холодный обглоданной остов былой красоты и услады для зренья.

— Сейчас, обожди, — приказал физкультурник.

Ушел в коридор, там шуршал, что-то двигал и наконец вернулся с байковым, истончившимся от старости одеялом, в которое сам был, наверное, завернут, когда был младенцем, безусым и голым.

— Вот так будет лучше, — сказал физкультурник.

Потом подошел очень близко к Виоле.

— Не бойся, — сказал он и быстро снял брюки.

Виола сжала руки на груди и зажмурилась, боясь видеть то, что открылось глазам.

— Ты целочка глупая, — забормотал физкультурник, обнимая ее и щекоча золотыми усами ее зажмуренные веки. — Ты дурочка глупая... ах ты, дурашка...

Он оторвал ее от пола и кинул на кровать, на это чужим, кислым дымом чуть пахнущее одеяльце.

— Не надо... — тихонько сказала Виола

Он ласково скрипнул зубами и крепко поцеловал ее в открывшиеся десны.

— Ты только не бойся-я-я...

И тут же дикая боль, от которой Виола забилась в его руках и застонала, пропорола ее насквозь. Она попыталась высвободиться, сползти с этой ситцевой, скромной кровати, но он не пустил, и с остановившимися от страха, серебристыми глазами, которые быстро меняли свой цвет — вся их серебристость окрасилась черным, — она подчинилась тому, что он делал, и даже испуганно чмокнула воздух, как будто ответила на поцелуи.

Пока она одевалась, не попадая пуговицами в петли, путая левую ногу с правой, он возился в ванной с окровавленным одеяльцем и что-то слегка напевал.

«Я гляжу ей вслед, — распознала Виола, — ничего в ней нет, а я все гляжу-у-у, глаз не отвожу-у-у...»

Через пять минут он вернулся. Она стояла одетая, но без ботинок, которые остались в коридоре. Он опять подошел близко-близко.

— А больше не хочешь? — спросил он, проведя языком по усам.

Она обреченно молчала.

— Ну ладно, иди. — Физкультурник махнул рукой. — Дорогу-то знаешь?

Дома никого не было. Часы торопливо пробили шесть, когда она появилась на пороге и сразу же принялась разуваться: Адела не переносила грязи.

«Теперь мы поженимся, — сладко замирая, подумала Виола. — Я с мамой его познакомлюсь...»

На следующий день они столкнулись в раздевалке, но он прошел мимо, как будто не заметил ее. Она долго рыдала в уборной, закрывшись в кабинке и зажимая рот шарфом, чтобы никто не услышал, потом медленно побрела домой. Назавтра повторилось то же самое. Если бы не привычка к боли и страху и не постоянная готовность к унижению, Виола могла бы наделать отчаянных глупостей, могла подойти и спросить, что случилось... Она не спросила и не подошла. Но через месяц, когда у нее у самой наступила та самая «задержка», с которой старшие и опытные подруги немедленно садились в кипяток и ели одну за другой аскорбинки, она, закусивши губу — как делал отец ее, Беня Скуркович, зачавший Виолу в горах Буковины, — пошла на прием к гинекологу.

Гинеколог оказался мужчиной с большими и очень волосатыми руками, который, как только они погрузились в покорное тело несчастной Виолы, вдруг начал сердито ворочать глазами. Потом сказал:

— Замужем? Нет? Оставляешь?

— Что я оставляю? — спросила Виола.

— Не «что», а «кого»! — оборвал гинеколог. — Ребенка рожать собираешься или...

— Да, я собираюсь, — сказала Виола.

— Тогда — на учет, — приказал гинеколог.

Она возвращалась домой, как на смерть. Она шла на смерть, и вокруг это знали, поэтому солнце ее обходило и быстро ложилось на спину трамвая, на мерзлое дерево, на голубятню, но не на Виолу с ребенком во чреве. Ее обходили животные, люди, при виде ее гасли синие окна (нигде ни одной ни руки, ни улыбки!); она шла по городу так, словно уголь насквозь прожигал ей ступни, а в затылок смотрел кто-то тот, кто ее ненавидел.

Семья Вольпиных как раз усаживалась за стол, собираясь обедать.

— Ты руки помыла? — спросила Адела.

Виола пошла в ванную и вымыла руки.

— Помыла? Садись. Я тебе наливаю, — сказала Адела.

От половника, погрузившегося в огненный борщ и вынырнувшего из него ярко-красным, со свисающими по бокам розовыми полосками капусты, валил мощный пар, как от локомотива.

«Сейчас я скажу им, сейчас я скажу...»

— Ты что там бубнишь? — протянула Адела и сахарно расхохоталась Алеше: — Ты видел? Бубнит себе: «бу-бу, бубу, бу-бу-бу, бубу»!

И очень похоже ее показала. Марат Моисеич нахмурился:

— Виола, ты что, не дай бог, заболела?

«Сейчас я скажу... я скажу им, сейчас я...»

— Мне что, покормить тебя, как в детском садике? — немного темнея, спросила Адела.

— А я жду ребенка, — сказала Виола.

— Какого ребенка? — спросила Адела и стала вдруг черной.

Марат Моисеевич выронил ложку.

Виола закрыла лицо руками и разрыдалась.

— Нет, ты подожди тут рыдать! — захрипела Адела. — Какого ребенка ты ждешь? От кого?

Виола попыталась было встать со стула, но каменная материнская рука, больно упавшая на плечо, остановила ее.

— Адела, спокойно, — сказал граф Данило.

— Марат, помолчи! — закричала Адела. — Так я повторяю: какого ребенка?

От слез ее дочь не могла говорить.

— Смотри мне в глаза, — закричала Адела. —Ты с кем там связалась? А, шлюха? А, сволочь?

На лицо Виолы посыпались пощечины. Их скорость была такова, что даже Марат Моисеевич ахнул.

— Адела, не смей! Ты ее изуродуешь!

Адела задохнулась и тяжело упала на стул.

— Да будь же ты проклята, сука!

И вновь поднялась: великанша. И руку, атласную, белую руку с мучнистой, дрожащей и дряблой подмышкой, воздела наверх высоко, как священник:

— Навеки будь проклята! Чтобы ты сдохла!

Прошло семь месяцев. За это время Адела не сказала ни одного слова ни дочери своей Виоле, ни мужу Марату, как будто и он был виновен в ребенке. Алешу любила по-прежнему, страстно. Когда живот одинокой Виолы начал вылезать из-под любой одежды, а щеки ее пожелтели и больше нельзя было скрыть этот ужас, Адела легла на кровать, поставила на грудь телефон и за один вечер переговорила со всеми знакомыми в Новосибирске. На следующий день позвонила в Москву и тоже там все объяснила.

— Она у меня так воспитана, — пела Адела, — ну, вы же прекрасно все знаете! Она же ребенок, наивный ребенок! А он приходил, предложение сделал, кольцо подарил... Он нас всех оболванил! Готовились к свадьбе... Ах, я говорила! Поверьте: я все, как могла, объяснила! Нельзя, говорю я, нельзя, чтоб до свадьбы... Ну, вы понимаете... В наше-то время... Да я бы домой не посмела явиться с таким вот позором! Да что вы! Меня бы... Да мама меня задушила бы просто! Своими руками меня задушила! Я ей говорю: ведь позор на весь город! Ведь ты опозорила нас! Мы актеры, на нас ведь равняются, нас уважают! Но вот вы поймите: решила, и всё тут! Нет, буду рожать! А сама ведь ребенок... Ну, я понимаю: ну, шлюхи приносят детей в подолах, но моя-то? Ребенок!

На восьмом месяце у Виолы возникла та же самая угроза «непреднамеренного прерывания беременности», с которой когда-то попала в больницу ее разъяренная мама Адела.

Виола лежала в палате на десять человек, за окном стояла жара, нечастая в городе Новосибирске, и ноги Виолы — короткие, покрытые светло-черными волосками, маленькие и ловкие ноги — были задраны высоко вверх, поскольку считалось, что в этой позиции младенцу непросто пробраться наружу. Вставать разрешалось один раз в день, чтобы пройтись по длинному коридору, где вдоль стен лежали те, которым не хватило места в палате, но тихо пройтись, осторожно, держась за живот с заключенным в нем плодом.

За полтора месяца Адела не навестила свою дочь ни разу, но папа Марат Моисеич со скорбно опущенным ртом приходил и молча, не глядя на ноги Виолы, которые очень бросались в глаза, с тоской и печалию ставил на столик бульон с пирожком, и кисель, и бруснику, протертую лично Аделою, с сахаром. Потом приходил брат Алеша и, тоже не глядя на ноги сестры, выгружал то банку с пюре и парные котлетки, то студень телячий, то блинчики с мясом. У соседок по палате складывалось впечатление, что Адела, ни разу не навестившая измученную ожиданием и страхом Виолу, стоит у плиты днем и ночью.

Виола, рыдая, съедала котлетку, потом отпивала немного компота, а что оставалось, давала соседкам. Те брали. Назавтра она получала все свежее.

До родов оставалось две недели, когда Адела собралась и уехала в Москву. Брат был уже вдов — та, любимая женщина внезапно скончалась совсем молодою, — у брата была тоже дочка-подросток, машина «Победа», и теща, и дача. Адела лежала в старом, сером от сырости гамаке, продавливая его почти до земли своим большим, обтянутым крепдешином телом, а теща — мать нежно любимой умершей, — с зажатою в тонких губах папиросой, почти что погасшей, стояла с ней рядом и стригла кусты.

— Не знаю, — говорила Адела и черными остановившимися зрачками смотрела на светлое небо, — не знаю, как будет Виола с ребенком. И кто ей поможет, я тоже не знаю. Сама виновата, и нас опозорит. У нас даже места-то нету в квартире. Алеше нужна своя комната, верно? Марату — его кабинет. Наша спальня, столовая и проходная, там вещи. Не знаю, на что ей рассчитывать, правда!

Теща усмехалась и махала рукой. Потом они шли на террасу, садились в плетеные дряхлые кресла.

— Ты что, даже к родам домой не вернешься?

— А я вам мешаю? — вспыхивала Адела, и жгучие слезы вдруг сыпались градом.

И теща опять усмехалась.

— Я сегодня, кстати, в городе заночую, — словно вспомнив о чем-то, тянула Адела. — К открытию нужно попасть в «Детский мир». Последние деньги придется оставить! Но я не могу, чтобы этот ребенок родился и сразу — в лохмотья, в обноски! А *ей* наплевать, что *она* понимает?

В середине сентября из разрезанного живота Виолы достали здоровую крепкую девочку. Очнувшись от наркоза, Виола попросила, чтобы ей разрешили посмотреть на ребенка. Ей принесли туго спеленутую, очень маленькую, размером с батон, мать Аделу. Мать крепко спала, поэтому не было видно, какого там цвета глаза, но ресницы, и крошечный нос, и вишневые губы так явственно напоминали Аделу, как будто какой-то задумчивый скульптор, который лепил в животе у Виолы вот эти широкие скулы и веки, старался, чтобы получилась Адела.

Отец Марат Моисеич и братик Алеша с грустными и торжественными лицами выстаивали ежедневные очереди к окошку передач и посылали роженице свежие ягоды и фрукты. При этом поздравили в строгой записке. Но мать так и не появлялась. Мать словно бы канула в Лету — хотя там, в столице, какая же Лета? Одни магазины.

В пятницу Марат Моисеевич на предоставленной ему машине «Волга», принадлежащей Театру музыкальной комедии города Новосибирска, приехал в роддом и забрал дочь Виолу с недавно рожденным ребенком. Пока они ехали в новенькой «Волге», Марат Моисеич косился на сверток, в котором лежал незнакомый ребенок, и был очень сдержан, хотя и приветлив. Шофер не успел и затормозить, как с шумом подъехал таксист на машине, раздолбанной, грязной, как это бывает, когда вещь — ничья, даже если и стоит больших государственных денег. Из этой раздолбанной, грязной машины с двумя чемоданами, сумкой, пакетом, в капроновых черных перчатках и шляпе, с трудом извлекая огромное тело из жаркой кабины, возникла Адела.

Виола застыла с ребенком в руках. Марат Моисеич стал белым, как мрамор. Бросив все принадлежащее ей добро прямо на асфальт и гневно шевеля выщипанными в ниточку бровями, Адела сделала несколько решительных шагов по направлению к окаменевшей Виоле и большими мягкими руками вынула из ее рук сверток, теплый от того спящего существа, которое находилось внутри. Она прижала сверток к большой и щедрой груди, откинула кружевной уголок, взглянула одним только быстрым внимательным взглядом, и тут же глаза ее из ярко-черных вдруг стали почти голубыми:

— Ах ты, моя куколка! Ты моя птичка! — медовым, с красивым молдавским акцентом, глубоким контральто запела Адела. — Моя ненаглядная! Мой ангелочек! Пойдем скорей кушать! Пойдем раздеваться!

И сразу вошла прямо в темный подъезд. Нагруженные подобранными с тротуара пожитками, Виола с отцом поплелись вслед за нею.

К вечеру стало ясно, что этот ребенок принадлежит не матери, у которой всю грудь разламывало от подступившего молока, он принадлежит своей бабке, чье красивое и сильное лицо она ему и подарила навеки. Все те, которым Адела разрешила зайти и посмотреть на девочку, были поражены небывалым сходством.

— Да, копия! Просто ведь копия! — говорили эти люди и прищелкивали языками.

Адела парила над детской кроваткой, как хищная птица с крылами вполнеба. Она не позволила ни одной из этих любопытных женщин наклониться над ребенком и подышать на него. В прихожей гости должны были надеть на себя марлевую маску, обеспечивающую безопасность новорожденной.

— А как вы назвали, Адела Исаковна? — оживленно спрашивали гостьи у Аделы, как будто у девочки не было матери.

Но мать эта все же была: стояла поодаль, глотая рыдания.

— Я думаю, мы назовем ее Яной. Красиво, ведь правда? Янина Маратовна!

— А отчество, — с удивлением переспрашивали гостьи, — а отчество будет: Маратовна?

— Будет Маратовна. Зачем нам другое? И если мы сами, своими руками, прогнали того проходимца... — Адела смотрела на реакцию зрителей; те опускали глаза. Она понимала, что можно продолжить. — И если мы сами прогнали мерзавца буквально за час до назначенной свадьбы... Ведь он не желает взглянуть на ребенка! Хотя он-то, может, и очень желает, да кто же позволит? Я вас умоляю! Сама спущу с лестницы — вы мне поверьте!

«Янина Маратовна Вольпина» — так было записано в метрике. И тут же по городу Новосибирску пошли разговоры:

— Ведь он не отец ей, Виоле, вы знаете? Не кровный отец. Почему же Маратовна? Виола — Маратовна, дочка — Маратовна... А что, если он... А ведь девочка — скромная, ни с кем никогда не встречалась. Так это же ЧТО получается? Значит...

Марат Моисеич, гуляя с коляской, в своем простодушии и беспристрастьи почти не заметил загадочных взглядов, бросаемых быстро на эту коляску, а после — ему на лицо, где блуждала улыбка спокойного, ровного счастья. Виола была еще слишком невинна. Но вот когда слухи дошли до Аделы, вот тут поднялся океан! Адела, как хищник, который находит по нюху свою убежавшую жертву, мгновенно звериным чутьем распознала, кто мог заронить эти гадкие слухи, кто мог поддержать их, кто — распространить, и черные тучи свирепого гнева, проклятья и сплетни похлеще, чем эта, обрушила на негодяев, мерзавцев и всех уничтожила их за неделю!

Она, например, нашептала гримерше, что сын балерины Куваловой Гриша был приговорен за растление ребенка, и только вмешатсльство важного чина, с которым за это спала балерина, спасло ее Гришу тогда от расстрела. А утром Кувалова все уже знала и (бледная немочь, глиста на пуантах!) вела себя так, как когда-то пираты вели, получившие черную метку: они подчинялись и флаг опускали. Кувалова смолкла. Не только Кувалова одна. Адела могла рассказать и похуже историю, чем про растлителя Гришу: иди потом в лес, объясняй там медведю, что этого не было! Не докричишься.

Они были: чучелы, гномы, уроды. *Она* была — матка, царица, защитница.

Виола мешала ей невыносимо.

Младенец Яна, у которой были ее скулы, разрез ее глаз, ее выпуклый рот, уже не нуждался в неопытной матери. Пока Виола кормила, ее приходилось терпеть: молоко было жидкое, тщедушное, но все-таки материнское молоко — и Адела терпела. Хотя вечерами, подойдя к зеркалу и спустивши с атласных предплечий тугие бретельки лифчика, она с болью смотрела на свои огромные, сияющие груди с чернильными сосками, где быть бы должно молоку — не чахлому, как у Виолы, а, скажем, такому, как в этих журналах, которые брат получает в Москве: стоит на картинке какая-то немка и льет молоко из бидона в бутылку, и чувствуешь запах его сквозь бумагу, его густоту даже и на картинке!

Но груди ее пустовали. Напрасно она иногда их сжимала до боли, как будто надеясь на чудо: а вдруг?

Хорошо еще, что Виола заканчивала последний курс — брать академический отпуск Адела не позволила, — и с утра, нацедивши в бутылочку жалкого и словно бы уже заранее скисшего молока своего, она убегала в институт, бросив последний затравленный взгляд на ребенка, которого Адела не разрешала поцеловать, поскольку повсюду бродили инфекции. Никудышная эта мать убегала, Марат, которого замучил радикулит, уходил в театр, опираясь на красивую, темного дерева палку с серебряным набалдашником, позаимствованную из театрального реквизита, Алеша был в школе, и Адела оставалась одна в огромной, заставленной, пышной квартире с любимым своим существом. К одиннадцати появлялась домработница и тут же начинала пылесосить, вытирать пыль и проветривать, а Адела в длинной каракулевой шубе, на которую пошли все деньги, заработанные Маратом на радио и детских утренниках, выплывала на улицу и медленно и величаво плыла, как парусник по океану, толкая руками в больших рукавицах коляску, в которой спала ненаглядная крошка.

И люди смотрели, и люди дивились.

Она шла с высоко поднятой головой, в каракулевой шапке с накинутым сверху пушистым платком, и если навстречу ей вдруг попадались знакомые или друзья по театру, в котором она уже не выступала, Адела, завидев их на расстояньи, загадочно щурилась и говорила с особенно звучным молдавским акцентом.

Во время одной из таких прогулок замечательная мысль осенила ее: избавиться от Виолы можно только одним способом — пускай уезжает учиться. Чтоб только она не мешала им с Яной, не лезла бы под руку ей постоянно! Виола действительно не понимала, когда нужно остановиться. Бывало, что нервы не выдерживали у строгой ее матери, и когда Виола, например, начинала упрашивать, чтобы ей дали самой искупать доченьку, Аделе приходилось отталкивать упрямицу так, что Виола оседала на диван с каким-то отчаянно булькнувшим звуком, как будто бы лопнул вдруг шарик воздушный. Нет, хватит. Пусть едет в столицу и в аспирантуре продолжит учебу.

Адела нажала на все рычаги. Виола, поначалу ужаснувшаяся материнской затее, смирилась, и вскоре ей стало казаться, что столичное образование откроет перед нею другие горизонты, и если она, защитив диссертацию, вернется обратно, то мать не посмеет с ней так обращаться, как смеет сегодня. Кто бьет кандидата наук, вы скажите?

Яне исполнился год. Молоко, слабо поскрипывающее в груди у Виолы, засохло, и время пришло собираться.

Последнюю ночь перед отъездом Адела не сомкнула глаз: сердце ее разрывалось. Она стояла у окна, за которым блестела от луны широкая новосибирская улица, и липы какие-то пахли, и пихты, и кто-то бежал слабой тенью, спасался (хотя от кого он бежал, непонятно); ей стало казаться, что она хоронит свою Виолочку, что это она, положив дочку в гроб, глядит на ее одинокое личико, и где-то поет хор покрытых платками и словно бы странно заснеженных женщин... Потом она вспомнила: так отпевали жену ее брата. Она лежала в высоком гробу, и отец ее все время стоял на коленях, все время... Адела ногтями сжимала виски, стараясь прогнать эти страшные мысли, но мысли не слушались и возвращались обратно с нелепой, безжалостной силой. Она видела себя, прилетевшую к брату из Новосибирска на пятилетнюю годовщину смерти его этой нежно любимой жены; видела, как они едут в такси вместе с девочкой, очень худенькой и очень голубоглазой, которая перебирает косичку своими почти что прозрачными пальцами... Потом, держа девочку с двух сторон за руки, они очень долго идут по аллее, и капает с ангелов — с мраморных лиц их; подходят к могиле и плачут, и смотрят...

Оторвавшись от окна, огромная, в халате, на котором серебро луны рисовало свои призрачные узоры, так что и халат был уже не халатом, а пышным покровом неведомой жрицы, она шла по тихой, безмолвной квартире с пылающим мокрым лицом. Вошла в спальню, где спал ее муж со страдальческой складкой у тонких залгавшихся губ; постояла, потом ужаснулась тому, что он сделал со всей ее жизнью, пошла в проходную, где мальчик Алеша смотрел свои сны — те сны, от которых дуреют подростки, — и поцеловала его, наклонившись, и тихо вошла к своей дочке Виоле.

В отличие от матери, не сомкнувшей глаз в последнюю эту и лунную ночь, молодая Виола крепко спала, выставив локотки закинутых за голову небольших рук. Адела внимательно осмотрела ее тело, обрисовавшееся под тонким одеялом, ее лицо, особенно бледное и печальное во сне, заметила, что с годами еще больше оттопырилась нижняя губа, от вида которой Аделу тошнило. Она опустилась на колени у кровати, прижалась пылающим мокрым лицом к изгибу веснушчатой этой ручонки и стала молиться. Она знала арии, стихотворения, которые в школе учила с Алешей, но слов для молитвы Адела не знала, поэтому те незнакомые слова, которые пели покрытые платками женщины в церкви, где отпевали жену ее брата, начали мешать тем словам, которые перед сном бормотал когда-то ее отчим, — и вот отчего она стала молиться без слов, без единого жалкого звука, и страстно просить, чтобы все ей простили, хотя она и не была виновата...

Проснувшаяся Виола почувствовала на своей руке горячие слезы и в страхе открыла глаза.

— Мама? — не веря глазам, прошептала она.

— Любого убью, кто тебя там обидит! — поднимая искаженное, мокрое лицо с закушенной нижней губою, сказала тогда ее мать. — Моя дорогая! Моя ты бесценная!

Виола уехала, и Яна, налившаяся после ее отъезда овсяной кашей со сливками, маслом и вечной смородиной, в сахаре тертой, теперь походила на все те картинки, которые были на детских консервах, весьма несъедобных и вредных для жизни.

Адела жила в упоенье свободы. Ребенок был чистым, промытым до хруста, накормленным до безрассудства, румяным и с бабушкой связан, как яблочко с веткой. Марат никогда и ни в чем не перечил, тем более в этом. Катал по сугробам веселые санки, в которых сидела любимая внучка, и сам молодел от чудесных прогулок.

Виола жила в общежитии, к дяде ходила обедать два раза в неделю и тоже вдруг стала свободной на диво. Ей, выросшей в грубых и жестких материнских тисках, привыкшей, что жизнь — это кровосмешенье безумной любви с избиеньем и криком, сначала казалось неправдоподобным, что матери не было рядом, и даже все время хотелось спросить у кого-то: «Вы знаете, может быть, где моя мама?» Иногда посреди ночи она просыпалась от острого счастья, что завтра никто со змеиным шипеньем с нее не сорвет одеяло: «Где соска? Где Янина соска? Опять потеряла?» Никто никогда не ударит наотмашь за то, что у Яны холодные руки. Но главное, можно встречаться с мужчинами.

В жизни Виолы Вольпиной была только одна настоящая любовь, а именно к Кольке Чабытину. Колька Чабытин сидел десять лет за одной с нею партой и был так хорош, что глаза уставали смотреть на его красоту. Он был синеглаз, и высок, и небрежен. Его обожали все девочки в школе. Он был королем, сыном прачки и вора. Отец его умер в тюрьме, мать спивалась. Он начал курить в третьем классе, пить — в пятом, но облик его был таким, что однажды ему предложили сниматься в картине «Сибирь, моя родина».

Виола любила его бескорыстно. Настолько бескорыстно, что ей все время хотелось услужить ему: она кормила Кольку своими завтраками, сама предлагала списывать на контрольных, а если хотелось ему передать какой-нибудь выдре из старшего класса записку, она ее передавала. Чабытин ее не любил. Женщины, которые отдавались ему, всегда были старше, с большим опытом. Обычно он пил с ними, спал, а часто и дрался за них с пацанами. И это была его жизнь: мужская, суровая жизнь, без соплюшек. После десятого класса он сразу куда-то исчез. Потом ей сказали: его посадили. Он вроде участвовал в пьяном дебоше и ранил ножом молодого сержанта; а может быть, грабил кого-то с дружками и там подвернулся сержант. Спасибо судьбе, что сержант этот выжил, и Колька вернулся домой. Через три года Виола увидела его на улице: он шел, очень пьяный, но все же красивый, с глазами такой синевы, что болело от глаз этих сердце случайных прохожих. Она подошла. Обнялись, постояли.

— Ты любишь меня? — спросил Колька Чабытин.

Виола кивнула.

— А замуж не хочешь?

Она приоткрыла свой рот, побледнела.

— А что? Я серьезно. Спасать меня надо. А то пропаду я, как батя. Без шуток.

— Я, Коля, люблю тебя. Замуж так замуж, — сказала ему молодая Виола.

Он поцеловал ее в губы, и Виола навсегда запомнила вкус его горького, пьяного и прокуренного рта. И вкус этот стал для нее драгоценен. Весь день она ждала, что он позвонит или придет. Он не позвонил, не пришел. Потом ей сказали, что Колька погиб: попал под трамвай той же ночью. Вместе с болью, насквозь пропоровшей ее от этого известия, Виола почувствовала странное облегчение: теперь он уже никуда от нее не денется. Она ведь невеста ему, он позвал ее замуж. Жених ее умер, его схоронили, но где-то он есть все равно. Где есть, неизвестно. В земле, над землею, на небе — кто знает? Она ведь любила его бескорыстно.

В Москве Виолу больше всего привлекали эскалаторы: это была движущаяся сцена, на которую она выходила, всегда подтянутая, с выпрямленной спиной, с блестящим, зовущим, серебряным взглядом. Когда она плыла на эскалаторе, закрутив на висках колечки коротких и черных волос, то эти колечки служили ей веером: она сквозь него смотрела на зрителей, она выбирала партнера для сцены. И этот ее выбирающий взгляд действовал на мужчин, как магнит на железо. Они перескакивали через ступеньки, меняли направление своего движения: те, которые ехали вниз, догоняли ее и ехали вверх, а те, которые торопились наверх, бросались обратно за ней в преисподнюю, где веет особый резиновый ветер и поезд летит из одной тьмы в другую — такую же жуткую, краткую.

Запыхавшиеся мужчины говорили первое, что приходило в их головы: «я где-то вас видел», «а где вы снимались», «давайте дружить, я хороший». И она, сдувая с ресниц упавшие из-под шапочки волосы и так же играя глазами, как веером, всегда отвечала одно: «Вы ошиблись». В общежитие, где жила Виола, пробиться без пропуска не удавалось: у входа сидела вахтерша, к тому же те, которые догоняли ее, обычно бывали женаты, поэтому часто (зима, снег, детишки!) и не было вихрю, огню продолжения. Из тех десяти, скажем, кто устремлялся за этим ее серебрящимся взором, бывало, всего-то один оставался. И все было до отвращенья похожим: ну, комната или квартира, ну, кофе, потом раздеваться, потом поцелуи, потом «полежим, а куда торопиться?», потом «ну, до завтра, тебя проводить?».

Ни разу, ни разу — о Господи Боже! — ни тени похожего рта, этой дрожи и горечи этой; теперь-то понятно, что горечи смерти. Однажды, правда, случилось нечто особенное: Виола ехала в автобусе и поймала на себе сумасшедшие, зеленые, как у кота, глаза. Парень какой-то, совсем молодой, может быть, даже моложе Виолы, в надвинутой на лоб мохнатой шапке, замотанный шарфом, смотрел безотрывно. Законы оперетты диктовали Виоле ее поведение: она опустила ресницы и, отвернувшись, подышала на заиндевевшее стекло, потом сквозь оттаявшую синеву сверкнула зрачком на морозные ветки и только потом, словно вспомнив о чем-то, опять посмотрела на парня. Теперь не она выбирала, он выбрал. Автобус трясло, пассажиры входили, тащили детей в промороженных шубах. Виола давно проехала свою остановку — кошачий, зеленый, восторженный взгляд приклеил все тело к сиденью. На последней остановке, где окон с их тюлем, геранью и банкой с лохматым грибом, продлевающим жизнь, уже не осталось, а выросли жутко фантомы прозрачных больных новостроек, которые так неприятно дымились от сильного инея и от мороза, и все уходило куда-то туда, на небо, где нет и не будет грибов и герани, обоим пришлось попрощаться с автобусом. Они выпрыгнули на снег и по протоптанной новоселами тропинке, где в маленьких вмятинах талого снега жила еще память о том, кто топтал здесь печальную эту и скучную жизнь, пошли молчаливо к темнеющей арке. Под аркою оба вдруг остановились.

— Ну, выхода нет, будем греться в подъезде, — сказал тогда парень.

У него был звонкий и высокий, почти как у женщины, голос.

В подъезде была батарея и пахло каким-то сгоревшим, несъеденным блюдом. Парень прижал Виолу к батарее, которая сначала приятно согрела ее, а затем обожгла, но не сильно, и разом стянул с ее тела рейтузы и тут же (порвав их, конечно!) — колготки. Потом отодвинул трусы очень белой, как будто в муке, и широкой ладонью. Потом у Виолы пропало дыханье. Пока это длилось, она не дышала, а стала дышать, когда все завершилось. Они всё стояли и грелись, и грелись, пока не вошла ледяная старуха и не засверкала глазами в морщинах.

— Милицию вызову, сволочи, бляди! — сказала старуха, но без выраженья.

Виола опять натянула рейтузы. Опять они той же продрогшей тропинкой дошли до знакомой своей остановки и сели в пропахший морозом автобус. Но парень уже не смотрел на Виолу и выпрыгнул вскоре на Новослободской.

Два раза в неделю она получала письма от матери.

Любимая доченька, — писала ей Адела из далекого города Новосибирска. — *Очень по тебе скучаем. Каждый день с папой смотрим на твою фотографию и волнуемся, как ты там. Слава богу, что ты не одна в Москве, а у нас там родственники. Если бы их не было, я бы тебя никуда не отпустила. Так, как ухаживает и следит за тобою мама, никто ни ухаживать, ни беспокоиться о тебе не станет. Запомни это. Ты теперь сама мать и знаешь, что я имею в виду. Ребенок в порядке. На прошлой неделе я стала волноваться, не болит ли у нее левое ушко, потому что Яночка все время терлась этим ушком о перекладину кроватки. Мы с папой позвонили Мирре Антоновне, она все сразу бросила и приехала к нам. Ты же знаешь, как нас уважают и любят в городе. Мирра Антоновна сказала, что у Яночки ушко в порядке, но на всякий случай выписала нам капельки, которые мы сразу же получили в дежурной аптеке и начали капать. Такие серьезные вещи нельзя никогда запускать. Я уж не буду говорить тебе, сколько нам с папой стоил этот приход Мирры Антоновны. Ты знаешь, что мы никогда и ничего не жалели для своих детей и всегда себе во всем отказывали ради вас. Была ли ты в «Детском мире»? Я посылаю тебе список тех вещей, которые жизненно необходимы нашей девочке. Постарайся купить, ничего не пропуская, ты ведь ей мать. Нельзя перекладывать все на мои плечи, а папа мужчина, ему не до этого. Яночке очень нужны хорошего качества белые носочки и белые гольфы. Если бы тебе удалось достать эти вещи производства ГДР, я была бы просто счастлива, но ты ленивая и не пойдешь занимать очередь, как это делала я, когда росла ты. Я себя не жалела. Кроме этого, постарайся купить несколько костюмчиков с начесом и такую же шапочку, но только обязательно с ушками. Про ботиночки я и не говорю: бери всё, что увидишь, ЛЮБОГО РАЗМЕРА. Я всегда покупала и тебе, и Алешеньке обувь и одежду на вырост, и ничего плохого от этого не случилось, как ты сама знаешь. И вот еще что я хотела сказать: теперь появились очень красивые новогодние игрушки на прищепках. Они тоже производятся в Германии. Продаются в наборах. Они стоят дорого, но мы с папой пошлем тебе денег специально для такого набора, не смей их тратить ни на что другое, я тебе запрещаю. И запрещаю посылать их по почте, потому что мы получим не игрушки, а гору стекла. Когда ты приедешь домой, ты привезешь этот набор сама. Посылаем тебе новые фотографии Яночки.*

Твои любящие мама, папа, дочка Яна и Алеша.

PS. Когда я думаю, какую дрянь ты там ешь в этих столовых, у меня просто стынет в жилах кровь. Памятью моей умершей мамы прошу тебя не питаться всу-

хомятку и каждый вечер выпивать перед сном стакан кефира или ацидофилина. Не забудь, как я всю жизнь мучилась с твоим желудком.

Деньги были нужны позарез. Костюмы с начесом, французские духи «Клима», необходимые льстивой Аделе для «шикарного подарка» Мирре Антоновне, билеты в театры, от разнообразия которых разбегались глаза, — все это нуждалось в деньгах, а не в скудной стипендии. В конце зимы Виола устроилась на работу ночным сторожем в Институт марксизма-ленинизма. Здание это, построенное вскоре после революции, надо сказать, получилось на редкость некрасивым, хотя его строили очень старательно. Какое-то тусклое мертвое здание, и Ленин, Владимир Ильич, неприятен: сидит, изогнувшись, в напыщенной позе, кулак у скулы, и лицо — как голодное. Виола, однако, не стала раздумывать, а, радостная, приступила к работе. Ночами в Институте марксизма-ленинизма она оставалась одна (ночной сторож!), и в будке на вахте — сотрудник милиции.

И было ей страшно. Массивное здание института, которое днем наполнялось приятно то кашлем сотрудников, то страстным спором, то звяканьем ложечки в чае с лимоном, казалось ей склепом кладбищенским, адом, и запах его был похож на могильный: от книг несло плесенью, воском — от пола. Одиночество, которое она переживала в медленные часы своего дежурства, было таким, что, оглядываясь и пугаясь каждого темного угла, каждого выступа, она добредала до библиотеки, включала в ней свет и гладила голую голову Ленина, которая там помещалась на цоколе. Была голова и холодной, и гладкой, на прикосновение влажных от страха пальцев Виолы не отвечала, но та ее гладила и целовала: пускай будет Ленин — не так все же страшно. Она возвращалась обратно в «дежурку», ложилась на скользкий диван, засыпала. В семь тридцать можно было уходить.

В среду, накануне Восьмого марта, в Институте марксизма-ленинизма произошло короткое замыкание, и Виоле пришлось, вызвав электрика, задержаться на работе. Электрик был молод, собою приятен, слегка полноват, что в глаза не бросалось. Он очень светло улыбнулся Виоле почти что гагаринской бодрой улыбкой и вмиг починил все сгоревшие пробки.

Виола любила разговаривать с незнакомыми людьми, унаследовав эту привычку от Аделы, которая — где бы она ни оказывалась — тут же зарастала случайными знакомыми и собеседниками, как лес зарастает травой и цветами. Поблагодарив полноватого, но умелого электрика от имени Института марксизма-ленинизма, Виола предложила ему вернуться в ту маленькую комнату, откуда она ночами стерегла доверенное ей здание, и выпить с ней вместе горячего чая с печеньем. Электрик по имени Петя (молодые люди успели познакомиться) сказал, что пойдет с удовольствием. Пока Виола хлопотала, протирая стаканы и извиняясь за то, что ложечка у нее всего одна, и нету лимона, и сахара нету, зато «Юбилейного» целая пачка, а в Новосибирске его не достать, но мама печет пироги — даже лучше; пока она все это пролепетала, внимательный Петя осторожно осмотрел ее ладную фигурку, спросил, где ее институт и что за ребенок висит там на карточке (маленькая фотография ребенка Яны была кнопкой приколота над скользким диваном). Потом он вздохнул всей большой и широкой, однако же несколько женственной грудью и обнял ее. И Виола притихла. Петя в отличие от остальных людей, обнимавших ее со всею своей молодою внезапностью, совсем не был жарок. Огня или пламени (о нетерпенье уж не говорим), какого-то зуда там, дрожи — короче, того, что исходит из тела мужчины, который внезапно тебя обнимает, как будто вот сразу укусит, проглотит, а ты, может быть, еще и не готова, — нисколько в объятии Петином не было. А было тепло, и покой, и приятность. Как будто ты в озере плаваешь летом. Какие в озерах акулы, скажите? Никто тебе пятку в воде не откусит, русалочки спят, водяные дряхлеют. Плыви себе дальше и не опасайся. Почувствовав именно это, Виола стояла, прижавшись к приятному Пете, и даже забыла про все оперетты.

— Ты вечером, это... дежуришь, короче? — спросил ее Петя.

— Конечно, дежурю, — сказала ему молодая Виола.

Вечером принарядившаяся Виола, красиво разложив на тарелочке остатки «Юбилейного» печенья, нетерпеливо посматривала в окно, где шел, невзирая на праздник всех женщин, досадно назойливый, остренький снег. Петя постучался ровно в десять, протиснулся в дверь с веткой пухлой мимозы, а также коробкой конфет шоколадных и снова блеснул своей чудной улыбкой.

— Я раньше не мог: сын немного болеет.

— А сколько ему? — удивилась Виола.

— Четыре, — ответил ей искренний Петя.

— А что же жена?

— Она в среду дежурит.

— Как? Тоже дежурит? — спросила Виола.

— Она медсестра. На приемке дежурит.

— Зачем ты пришел? — рассердилась Виола и даже немного раздвинула ноздри. — Жена, сын болеет... Чего ты явился?

— А мне с тобой как-то, вот знаешь, приятно, — ответил ей Петя, немного подумав.

— Тогда раздевайся, попьем с тобой чаю, — сказала Виола, жалея, что нету в руках ее веера или перчатки.

— Конфеты вот... — Петя сказал торопливо.

Окрыли коробку. Конфеты лежали на месте, но были как будто немного припудрены. (Ходили, видать, по рукам очень долго: дарить их дарили, а кушать жалели.)

И Петя опять ее обнял. Как раньше.

Нельзя сказать, что это была такая совсем уже сладкая жизнь. Встречались в дежурке по средам. Жена уже знала (соседка сказала), что Петя куда-то по средам уходит. Пришлось ей сказать: на объект по наладке. «Наладке — чего? Не поймешь». — «По наладке». — «А я говорю: по наладке — чего? А может, ты бабу завел?» — «Нет, не бабу. Сказал: по наладке». — «Смотри, Петушок, вот возьму и проверю!» — «Давай проверяй! Говорю: по наладке».

Вот так вот и жили — все время на нервах. К тому же аборты. Нечасто, но были. И все без наркоза. В районных больницах ведь, если не сунешь, никто на тебя и не смотрит. Всегда так.

Несмотря на свои беспокойные и грустные временами обстоятельства, Виола и Петя очень друг к другу привязались и никак не думали, что им придется расстаться. Расстаться пришлось, да с какой еще кровью!

В самом начале июня, когда у Виолы шли экзамены, в столицу примчалась Адела. Ребенок Яна, о встрече с которой бедная Виола мечтала по ночам, осталась в Новосибирске с дедушкой Маратом Моисеичем и нянькой, испытанной лично Аделой, старухой весьма чистоплотной и ловкой.

На вокзале Адела сперва судорожно обхватила робкую дочь свою и быстро ощупала ей позвонки, и шею, и локти, как будто пытаясь сама убедиться, что дочь вся цела и нигде не поломана. Потом она несколько раз повертела ее голову то влево, то вправо, крепко держа при этом дочернее лицо за подбородок и стараясь не обращать внимания на оттопыренную нижнюю губу Бени Скурковича.

— Скелет! — задохнувшись, сказала Адела. — Где брат мой? Он что, не приехал?

— Нет, дядя в машине, он ждет нас, — ответила ей, испугавшись, Виола. — Ведь ты же сказала, что ты без вещей!

— А я без вещей. Не нужны мне здесь вещи. Но мог бы и бросить машину на время. Я все же сестра ему. Столько не виделись!

Но брат уже шел им навстречу. Огромная, пестро одетая Адела крепко обняла его своими мягкими и сильными руками.

— И ты похудел, дорогой. Что у вас здесь с продуктами? У нас ничего не достать, я за все переплачиваю. Сейчас мы все вместе поедем на рынок, все нужно купить. Я зачем к вам приехала? Кормить вас приехала, больно смотреть ведь!

Скупив половину Центрального рынка, понюхав говядину, кровоточащую от свежести на цинковых поддонах, попробовав творог у каждой старухи, пожевав и тут же выплюнув немного кинзы и немного петрушки, Адела в сопровождении дочери и брата приехала наконец в знакомую квартиру на улице Лобачевского, сменила свое красивое шелковое платье на необъятный халат, из разрезанных до локтя широких рукавов которого, как птицы — с природною их грациозностью, — все время взлетали и падали руки, и тут же, не медля, взялась за готовку. Виола, отвыкшая от матери за девять месяцев в столице, теперь, когда мать та каждую секунду дергала ее криком: «Дай соль мне!», «Дай перец!», чувствовала себя так, как чувствуют заключенные, которых выпустили по амнистии, но они снова нарушили закон и возвращаются обратно в тюрьму. Она изо всех сил пыталась угодить и не навлечь на себя материнскую ярость, но голова у нее разболелась, руки дрожали, и ноги безвольно подкашивались. После обеда Адела вдруг посмотрела на карточку умершей своей золовки, которая висела над столом.

— Да что мы сидим здесь? Я что, к вам обедать приехала?

...Перед входом на Ваганьковское кладбище стояли нищие, бродили с поджатыми хвостами собаки. Закат золотил их чудесные морды.

— Цветочков, а, девочки? Смотри, какие незабудочки! Их в землю воткнешь, они до-о-олго стоят!

Старухи, сидя на опрокинутых ведрах перед разостланными на земле газетами с пучками неярких и кротких цветочков, тянули к прохожим костлявые руки. Купили, прошли мимо церкви. Виола искоса взглянула на лицо своей матери и поразилась тому сосредоточенно-страдальческому выражению, которое остановилось на нем. С трудом протиснувшись в недавно посеребренную особой кладбищенской краской калитку, Адела всплеснула руками и горько заплакала:

— Ведь сколько я здесь не была! Лет двенадцать!

Она опустилась на корточки и принялась своими блестящими белизной пальцами с неизменно красивым и свежим красным лаком на ногтях пристраивать в землю цветочки.

— Ты спишь, моя милая! — певучим и ласковым голосом заговорила Адела. — Моя золотая! А я к тебе, Томочка, издалека. Пришла вот тебя навестить, моя милая! Живу хорошо, ращу внучечку, Томочка. Тебя не хватает! Ведь как мы дружили...

Она всхлипнула и закусила губу. Виола тоже всхлипнула при виде материнских переживаний. Адела подняла заплаканное лицо.

— Виола, когда я умру, ты придешь на могилку? Приди, моя доченька! Что ты примолкла?

Виола села на землю рядом с матерью и неожиданно для себя расплакалась, уткнувшись в ее пахнущее духами мягкое плечо. Адела притиснула ее к себе и выпачканными в земле руками пригладила ей волосы.

— Никого у тебя нет на свете ближе меня! Запомни, Виола. Кому ты нужна, кроме матери, глупая?

Нежный и задумчивый летний вечер опустился на столицу, когда они наконец вернулись обратно на улицу Лобачевского.

— Тебе на работу сегодня? — спросила Адела.

Виола кивнула.

— Иди, моя доченька.

Виола поспешила на работу в Институт марксизма-ленинизма, где, облокотившись на памятник Ленину, стоял, поджидая ее, верный Петя.

— Соскучился я по тебе. Еле вытерпел. С женой поругался опять. Ты поела?

В дежурке они, обнимая друг друга, легли, как всегда, на диван.

— А может быть, нам пожениться, Виолка? — спросил ее Петя. — Мамаша приехала, может, ей скажем?

— Ты что, сына бросишь? — спросила Виола. — А жить мы где будем?

Любовь облагораживала их души, и часто именно после любви Виола и Петя задумчиво пели, прижавшись друг к другу на узком диване. Этот вечер не был исключением. Виола в одном только черном лифчике и короткой юбочке, обхваченная любящим Петей за талию, как раз выводила начало:

То-о-о не ве-е-тер ве-е-етку кло-о-онит,
Не дубра-а-а-вушка-а-а шумит...

И Петя ее подхватил:

То мое, мое сердечко сто-о-онет ...

Их добрые и чистые голоса сливались с таким же согласием, как только недавно сливались тела, и песня стремилась к тому же единству, к тому же щемящему свету, который всегда озаряет высокую дружбу и нежную страсть, от чего возникают на свете и люди, и звери, и птицы. Но им помешали.

Дверь в дежурку распахнулась, и на пороге выросла Адела. Она была такой, что даже Виола, много раз видевшая мать разгневанной, зажмурилась и в своем лифчике жалком нырнула за Петину спину.

— А ну, вылезай! — приказала Адела. — А вы убирайтесь отсюда!

Но к Пете она обращалась на «вы», и даже в минуту сильнейшего гнева была королевой и роль свою знала.

— Всегда и во всем: проститутка и мразь! — спокойно сказала Адела. — У вас, молодой человек, есть семья, зачем вам-то дело иметь с проституткой?

— Да как же вы можете? Дочка ведь ваша, — спросил оглоушенный Петя.

— Позор! Позор она мне! Стыд и срам, а не дочка! — отрезала сразу Адела. — Позор! Одевайся, мерзавка! Пойдемте-ка выйдем.

И вышла, забрав с собой Петю.

— Молодой человек! — звучным, переливающимся шепотом спросила Адела. — Вы часто сюда приходили?

— Не стану я вам отвечать! — перебил ее Петя

— Да я ведь добра вам желаю, — сказала Адела. — Вы сами подумайте: зачем же мне, матери, позорить при вас свою дочь? Незамужнюю? К тому же с ребенком? Мне лучше вас сразу заставить жениться! Ну, разве не так? А ведь я вас спасаю!

— Зачем?

— А-а-а... Зачем... Слава богу, услышал! Затем, что мне вашу мать жалко, а больше мне незачем! У вас ведь есть мама?

— Ну, есть.

— Вот ее мне и жалко! Чтоб сын, да какой — вы ведь добрый, хороший! — женился на этой мерзавке! И я вас спасаю. Я прежде всего человек. И совесть моя мне дороже, чем дочка! И я говорю вам от чистого сердца: бегите, бегите, бегите отсюда!

— А что, у вас есть доказательства, что ли? — спросил растерявшийся Петя.

— Конечно, — сказала Адела и вдруг погрустнела. — А без доказательств я разве бы стала? Она вам хотя бы хоть раз объяснила, какая причина была ей уехать? Подумайте сами: ребенок ведь — крошка! Нуждается в матери. Мать уезжает, бросает ребенка на долгое время... Какая-такая учеба, скажите, дороже, чем дочь, а? Какая учеба? Чему здесь такому учиться, в столице, когда у нас там — просто светоч всех знаний? Ну? Что вы молчите?

— Откуда я знаю? — спросил мрачно Петя.

— А я вам скажу. — И понизила голос. — Последней собаке и той было ясно, что дочка моя — проститутка. Она к нам мужчин табунами водила! Мы с мужем — известные люди, артисты, а выйти из дому буквально стеснялись! На нас на бульваре все пальцами тыкали!

— И что? — Петя сжался, смотрел исподлобья.

— Как что? И тогда я сказала: «Послушай, Виола! Садись в этот поезд и — всё. Пожалей хоть ребенка! Ведь ей — идти в школу, ведь ей — идти в садик... Ее заклюют! Пожалей хоть ребенка! В Москве ты начнешь все с нуля. Ради бога!» Она-то, конечно, была очень рада. Ей этот ребенок... Да ей — что ребенок, что кошка, что мышка! Вильнула хвостом и умчалась. Кукушка! Бегите отсюда и не возвращайтесь!

Перед Петей стояла не просто женщина — уже пожилая, прекрасного вида, хотя, может быть, все же слишком большая, — стояла богиня из греческих мифов, и ноздри ее раздувались от гнева. Она не лгала, она предупреждала. И Петя услышал. Он робко взглянул ей в глаза. Адела ответила гроздьями молний.

— Я вас заклинаю, как сына: бегите!

И он убежал. Нет, ушел, оглядываясь и замедляя шаги, потому что сердце его стало как-то слишком сильно стучать внутри большого и неповоротливого тела, как будто просило вернуться обратно, в ту грустную песню, которую пели они на диване со лгуньей Виолой, и там тоже было о чьем-то сердечке, и это сердечко стонало, стонало...

Адела вернулась в дежурку. Простодушная Виола в том же самом черном лифчике и короткой юбочке лежала, сжавшись в комочек, лицом к стене.

— Вставай и взгляни мне в глаза! — приказала Адела.

Виола послушно села и заплаканными, распухшими глазами посмотрела на мать. Адела дала ей пощечину.

— Мечтала, я вижу, в столице остаться? И замуж здесь выйти? И Яну забрать? О нас ты подумала? Вот что, Виола: запомни навеки! Такого не будет! Никто тебе Яну сюда не отдаст! Под все поезда костьми лягу! Запомни!

Оставшиеся экзамены Виола сдала и в начале июля вернулась обратно домой вместе с матерью. С приходом сентября свое обучение в аспирантуре она и продолжила в Новосибирске.

Прошло еще года четыре. Марат Моисеич ушел на пенсию и посвятил всего себя воспитанию внучки. Яночка ходила в детский садик, и дед ее — самый красивый на свете — на всех детских елках был Дедом Морозом. Виола закончила аспирантуру, работала, но получала копейки, хотя и была молодым кандидатом.

А вот на Аделу дивился весь город. Их с мужем всегда и везде узнавали: артисты ведь так популярны в народе. За все эти годы ни разу — ни разу! — она не покинула дома без грима, перчаток и лаковой сумки. Толстела, теряла румянец и кудри, глаза опухали, и ноги, и руки, но был маникюр на ногтях, и прическа, и шуба, и платье, и пудра с помадой. Теперь все дивились тому повороту, который судьба предложила Аделе, известной и памятной людям по сцене. Адела сидела на кассе в огромном, недавно открывшемся универсаме. Да, так и сидела. Нехитрое дело: подставят тебе табурет — и работай. Адела работала. В лаке и кольцах, помаде и пудре, с медовой улыбкой. Причиной такому неожиданному и несколько унизительному даже превращению было отвратительное снабжение города Новосибирска. Пустые прилавки. Достать-то по-прежнему ей доставали, но не было денег за все переплачивать. А Яне нужны были творог, бананы, хорошее масло и свежие сливки. И мясо, и курица с рыбой в придачу, и разные овощи, и мандарины. Ребенок рождается, чтобы кормили, а не для того, чтоб ребенку зачахнуть.

— Послушай, Адела! Но нас же все знают! — И муж покрывался испариной. — Как же... Как это ты сядешь на кассу, Адела?

— Тебе показать, как я сяду?

Смеялась. И даже белье обнажила однажды, задрав сзади платье.

...Холодно было в Новосибирске, темно было, холодно. Марат и Алеша, уже второкурсник, встречали Аделу с работы. Она выплывала в мешках и пакетах, лицо было мрачным. Пакеты трещали. Не глядя на них, отдавала покупки. Домой шли — молчали. Адела снимала холодную шубу и хлопала дверью большой своей спальни. Ложилась и громко рыдала в подушку. Тогда к ней входила кудрявая внучка и гладила бабушку детским мизинцем. Потом они рядышком и засыпали.

Яночка заканчивала первый класс, когда ее мама Виола познакомилась с Андреем Анатольевичем. Он был очень жилист и очень подвижен. Похож на лису — если в профиль, на волка — когда опускал уши вытертой шапки. Работал врачом в поликлинике. Детство провел под Норильском и там же родился. Дитя заключенных, веселого мало. Родители Андрея Анатольевича проходили по политической статье и в лагере выжили чудом. И чудом у них появился ребенок. Но оттого, что звезда, осветившая этого неуверенно закричавшего, окровавленного еще ребенка, которого только что извлекли из материнского живота, была самой яркой, и самой мохнатой, и самой упорной на небе звездою, Андрей Анатольевич стал очень сильным. Похоронив родителей в зоне вечной мерзлоты, он перебрался в Новосибирск, поступил в медицинский институт, окончил с отличием, стал офтальмологом. Женился весьма неудачно, развелся. И тут в его жизни возникла Виола. Андрей Анатольевич почувствовал то, о чем поется в песне. Все стало вокруг голубым и зеленым, и радость его не нуждалась в причинах. Причина была, но одна и все время: Виола и взгляд ее, скорбно-лукавый.

Они поженились. Адела смолчала. Все ее опасения и редкая даже для женщины проницательность выплеснулись в одной строчке из короткого письма брату: «У нас теперь в доме живет уголовник». Трудно сказать, что имела в виду Адела, выбрав именно это слово для определения непростого характера Андрея Анатольевича. Он ничего не украл из ее прекрасной квартиры и ни на кого из находящихся в ней ни разу не покусился. Но что-то в немного раздвоенном носе и в той напряженной сдержанности, которая отличала все его поведение, включая даже то, как он спускал воду в уборной, не просто настораживало Аделу, а сразу вело ее к горькому выводу: они были — люди закона, а он — уголовник. Скандалов, однако, совсем не случалось. И молодожен, и хозяйка квартиры терпели друг друга, как хищные звери, случайно попавшие в общую клетку. И только тогда, когда Андрей Анатольевич, желая избежать произвольного вторжения в их с Виолой комнату то девочки Яны, то парня Алеши, а то (что бывало нередко) Аделы, вмонтировал в дверь помещенья замок, Адела сказала, чтоб оба съезжали. И он, и Виола. Но только без Яны. У Яны здесь дом, и у Яны здесь школа. (А школа и правда была очень близко.)

Андрей Анатольевич добился крохотной комнаты в медицинском общежитии, и они съехали. Медицинское общежитие было на другом конце города, транспорт работал плохо, Виола опять оказалась разлученной с дочерью, и даже телефон в общежитии был всего один на целый этаж: с ребенком не поговоришь.

У Андрея Анатольевича были жесткие пальцы, и слава богу, что он работал офтальмологом, а не дантистом: мог рот разодрать — столь жестки были пальцы. Сначала у Виолы случалась тоска всякий раз, когда Андрей Анатольевич овладевал ею — никакое другое слово не подходило к его любви так точно и сильно, как это, — но вскоре тоска заменилась отчаяньем. То время романа, когда неулыбчивый доктор с раздвоенным носом и страстью в глазах дарил ей цветы и заглядывал в ее опущенное и бледное лицо с надеждой любви и смущенной покорностью, — то время прошло. Теперь у нее был муж, и муж чувствовал себя хозяином не только всего ее тела, но также души, а душа ускользала. Это ускользание Виолиной души, соединенное с ледяным холодом ее тела, вызывало страдание в Андрее Анатольевиче. Он не был ни добрым, ни злым человеком. Он был — дитя ссыльных, отверженных, чудом рожденный внутри мерзлоты, вечной ночи, зачатый рабами на жестком матрасе; и он, выбрав в жены Виолу, хотел бы глотнуть хоть немного тепла, но вышло напротив: Виола глотнула его этой жесткой и яростной воли.

А тут началась перестройка. И даже в холодном, недавно отстроенном Новосибирске подули какие-то странные ветры. Алеша однажды сказал за обедом, что он уезжает в Израиль. Адела схватилась за сердце и начала раскачиваться из стороны в сторону, не произнося при этом ни одного слова: так вдруг пересохло все горло. Марат Моисеевич, много лет пробывший парторгом в Театре музыкальной комедии, тоже как будто онемел. Алеша был баловнем, нежно любимым, ему позволялось шутить на все темы.

— Алеша, ты шутишь, — сказал Марат Вольпин. — Дурацкая шутка.

— Марат, он не шутит, — вдруг хрипло сказала Адела. — Он хочет уехать в Израиль.

— Дорогие мои родители! — развязным и одновременно испуганным голосом заговорил белокурый сын, услада их глаз и отрада их сердца. — Вы же не хотите, чтобы я погиб здесь? А это ведь может случиться. Я через год окончу институт и выйду маленьким, сереньким, рядовым советским инженером. И буду всю жизнь получать маленькую и серенькую советскую зарплату. И жить с вами вместе вот в этой квартире, поскольку откуда возьмется другая? И если я женюсь, то мне придется привести сюда свою жену, и они с мамой будут толкаться в одной кухне и ненавидеть друг друга. И я никогда ничего не увижу, кроме, в самом лучшем случае, какого-нибудь болгарского курорта. И у меня будут такие же друзья и сослуживцы. Хотите вы этого?

— Все так живут... — начал было Марат Моисеевич, но сын не дал ему продолжить.

— Я, папа, к тому же еврей. Ты об этом забыл?

— Я тоже еврейка, — сказала Адела. — И я прожила так огромную жизнь. И что? Ничего не случилось.

— А разве не ты рассказывала мне о том, как приехала в Москву поступать в консерваторию и врезала в морду какой-то засранке, которая обозвала тебя жидовкой? А если *меня* обзовут, я убью.

И сын тяжело покраснел. Адела смотрела на него и чувствовала такой глубокий страх, которого не чувствовала ни разу в жизни. А было ведь всякое. Но вот такого — чтобы она совсем не знала, как ответить собственному ребснку и чем возразить ему, как оборвать, когда всё, всё уже бесполезно и поезд ушел, — такого пожалуй что не было.

Потом пошли спать. А в полночь Адела в огромном халате, в разрезах которого мощные ноги белели, как будто стволы в синеватых сучках и наростах, и руки белели, а лоб был прорезан морщиной, как бритвой, вдруг встала с кровати и медленно, странно пошла по своей необъятной квартире. Она шла почти что на ощупь, вытянув вперед растопыренные пальцы в кольцах, которые перестала снимать даже на ночь, поскольку они въелись в мякоть, и, миновав тускло поблескивающую сервизами и вазами столовую, вошла к детке Яночке. Любимая и ненаглядная детка в своей заграничной пижамке спала. Ее спящее лицо повторяло лицо самой Аделы, каким оно было на тех старых фото, которые тихо лежали в альбоме. И родинка в левом углу подбородка, и сизый, как перья у птицы, затылок.

Адела тяжело, с медленным сдавленным стоном опустилась на колени перед кроватью и большую горячую ладонь свою положила на детские глаза. Под ее ладонью затрепетали ресницы, защекотали ладонь ее, как пойманные бабочки или стрекозы; она накрывала сильнее, давила, как будто хотела бы их успокоить и остановить их слепое движенье. Со стороны можно было подумать, что ребенок только что умер и женщина, со стоном закрывающая ему глаза, понимает, что и ее жизнь кончена.

Она поднялась, посмотрела. Что-то странное проступило в ее чертах: лицо ее вдруг начало опускаться, закатываться, подобно тому, как закатывается солнце, и тот же яростный блеск, с которым солнце, закатываясь, вдруг вспыхивает на самую последнюю секунду, желая, чтоб все на него посмотрели, вдруг вспыхнул на этом лице.

Они уезжали втроем: Алеша, Марат и Адела. Знакомые по театру и просто знакомые, с которыми Адела, как это могло показаться со стороны, делилась своими переживаниями, сочувствовали чете Вольпиных, вынужденных расстаться не только с Родиной, но также со внучкой и дочерью.

— Почему бы вашему сыну одному не уехать? — удивлялись они, пожимая плечами. — Почему вы его сопровождаете?

Что должна была она отвечать людям, которые искренно не понимали, почему она не может расстаться с Алешей? Можно ли объяснить слепому от рождения, что значит цвет моря, к примеру? Нельзя объяснить, не пытайтесь.

Весь ужас от предстоящей разлуки с Яной, который Адела носила в себе с того самого дня, когда она поняла, что Алешу уже не удержать, а жить без Алеши она не могла так же, как не могла жить и без Яны; но Яна оставалась, по крайней мере, с матерью, хотя никудышней, а Алеша, скажи она ему, что они с отцом никуда не поедут, уехал бы сразу один, — весь ужас ее постепенно переплавился в дикую ненависть к Андрею Анатольевичу. Он не собирался уезжать в Израиль, а не случись в их жизни Андрея Анатольевича, никто не стал бы и спрашивать Виолу о ее желаниях: собрались бы все и поехали.

Закрывши глаза, Адела рисовала себе отрадные картины: вот этот невысокий, широкоплечий и жилистый человек с его раздвоенным носом (что есть признак лживости!) выходит с передней площадки автобуса. Кто-то толкает его, и, поскользнувшись, Андрей Анатольевич оказывается прямо под колесами. Под крики собравшихся «Скорая помощь» увозит с собой его труп.

Или, например, Андрей Анатольевич возвращается вечером к себе в медицинское общежитие. Его догоняют какие-то парни и требуют денег. Он в этих деньгах им отказывает. Тогда от обиды один из парней его ударяет ножом прямо в сердце. Они убегают. Он, мертвый, лежит. Раздвоенный нос покрывается снегом...

Фантазии так и оставались фантазиями, при том что Андрей Анатольич был жив и здоров. Он был недоступен Аделе, он был неподвластен до тех пор, пока одна дьявольская мысль не пришла ей в голову. Виола была прописана в родительской квартире, и само собой разумелось, что после их отъезда они с Андреем Анатольевичем и девочкой Яной будут жить тут. Квартира, однако же, стоила денег. Ведь если, к примеру, Виолу бы выписать, то можно квартиру продать, а все деньги потратить. Не ехать же голыми в эту пустыню! Вон, умные люди везут на всю жизнь: сервизы, серванты, ковры, пылесосы, электроприборы, одежду и обувь... А им отправляться с одним чемоданом?

И жестокая Адела поставила условие: если вы собираетесь жить и радоваться в квартире, которая мне и отцу столько стоила крови, то вы нам заплатите. И сумму сказала, немалую сумму. Виола помертвела, когда ее мать сладчайше, медово и переливаясь чудесным контральто, сказала ей, сколько.

Андрей Анатольевич скрипнул зубами:

— Добро!

И к ужасу всех — а всех больше Аделы — собрал эту сумму. Ему не боялись одалживать. Знали: вернет.

Он мог бы сказать ей:

— Забирайте вашу никчемную дочь вместе с вашей толстой внучкой! Они мне уже не нужны. Везите их к чертовой матери!

А он не сказал. И деньги принес, до копеечки. Она ненавидела его так, что горло перехватывало от ненависти. Но Виолу она ненавидела не меньше, а может быть, даже и больше, чем ненавидела его, потому что

Виола была матерью Яны и отнимала у нее Яну на законных основаниях.

И она начала неистово и широко тратить деньги, которыми ей заплатили за страсть к вот этому зернышку, косточке, счастью, ее виноградинке сизой, любимой. Белья накупила постельного столько, что если бы Мертвое море засохло, то дно его можно бы выстелить было вот этим Аделиным новым бельем. Да что там белье! Она увозила сервизы, серванты, и два пылесоса, и каждую вазочку, каждую нитку. Она вместе с сыном своим, вместе с мужем везла целый дом, всё, нажитое кровью! А девочка, слепленная по ее подобию, оставалась. Она не понимала, не догадывалась, она не могла догадаться, какой ад бушевал в душе ее вздыбленной бабушки, когда эта бабушка вдруг похватала всех кукол, сидящих на полках, чтоб даже и кукол забрать с собой вместе!

— Зачем тебе куклы-то Янины, мама? — спросила Виола.

— *Я* их покупала! — сверкая глазами, сказала Аделa. — Я ими и распоряжаюсь, вот так-то! Ребенок ведь *твой, ты* теперь все и купишь!

В предпоследнюю перед отлетом ночь она вдруг застыла перед своим сверкающим чистотою, набитым продуктами холодильником. И утром сказала:

— Пускай покупают. *Он* думает, что *он* теперь обожрется? Напрасно *он* думает!

И эти проклятые низкие люди — дочь, ею рожденная от негодяя, и муж, уголовник с раздвоенным носом, — они заплатили за каждую крошку! За каждую банку топленого масла.

В аэропорту она прижала к себе бледную, с дрожащими пухлыми губами Яну и замерла. Потом начала ей шептать что-то в ухо, как будто бы каялась или просила. Но тихо, никто ничего не услышал. Ее не могли оторвать. Оторвали.

После отъезда родителей и брата в Израиль Виола была так несчастна со своим мужем Андреем Анатольевичем, что люди, помнившие Аделу, тут же догадались, что брак этот был ею проклят. Андрей Анатольевич ни на йоту не изменился с тех пор, как он встретил скорбно-сереброглазую Виолу и влюбился в нее. Он, может быть, стал еще строже, поскольку теперь отвечал за семью. Долги нужно было отдавать, а ребенка воспитывать. Ребенок был очень избалован бабкой.

Виола боялась наступления темноты, потому что влюбленный в нее Андрей Анатольевич не пропускал ни одной ночи без того, чтобы не доказать ей пламенность своего чувства. В холодные месяцы он по своему обыкновению закладывал в нос полоску чеснока, ибо ничто так не спасает человека от заболевания гриппом, как этот простой незатейливый овощ. Когда ее муж занимался любовью, Виола теряла сознание: запах становится гуще от силы эмоций.

Мать ее Адела, поселившаяся вместе с отцом Маратом Моисеичем и братом Алешей в далеком от промороженного Новосибирска Израиле, теперь аккуратно писала ей письма.

Чувствую себя очень плохо, — писала Адела. — *Думаю, что здешний климат мне, коренной сибирячке, совсем не подходит. Еврейская культура мне подходит очень, потому что я выросла в еврейских традициях и только из-за тяжелых исторических испытаний нашего народа вынуждена была в течение многих лет прятать эти традиции глубоко в своем сердце. Тебе, доченька, опрометчиво соединившей свою судьбу с человеком без роду и без малейшего племени, меня будет очень непросто понять. Я снова и снова возвращаюсь мысленно к тому шагу, который ты сделала, и не понимаю, что могло толкнуть тебя на этот поступок, благодаря которому мы теперь разлучены. Папа и Алеша, не сделавшие тебе ничего плохого, кроме одного только хорошего, разделяют мою боль. Я каждую ночь просыпаюсь от того, что слышу, как плачет Яночка, и сразу вскакиваю, бросаюсь ее искать. Папа беспокоится, что я в темноте могу что-то сломать себе, споткнувшись и упав на здешний каменный пол.*

Наши соседи оказались интеллигентными людьми, многие из них приехали даже из Ленинграда и были там не сапожниками, а врачами или педагогами. Нас с папой приняли с распростертыми объятиями, все время при-

глашают в гости и просят нас что-нибудь спеть. Папа уже несколько раз соглашался, а я не могу. Совсем у меня не то настроение. Да и гардероб мой оставляет желать лучшего. Те теплые шерстяные платья, которые я привезла с собой, нисколько не подходят для нашей жары. Так и висят в шкафу, только место занимают. Но покупать или шить что-то новое у меня нет никакой возможности: очень плохо с деньгами. Дают только на прожиточный минимум и очень скромное питание. Я ломаю себе голову, как и чем могли бы мы с папой заработать хотя бы немного денег, чтобы послать их тебе и Яночке. Наши соседи, узнав, что у меня осталась внучка в Новосибирске, принесли нам целую кучу изумительных детских вещей. У них у всех есть внуки, которых родители прекрасно одевают, но дети вырастают быстро, так что многие изумительные вещи так и остаются ни разу ненадеванными. Я уже послала вам посылочку. Проверь по списку, чтобы они ничего не украли там на почте! Люди ведь совсем не имеют ни капли совести. В посылку я положила: два летних платьица, одно в клетку, а другое — в полоску, и на том, которое в полоску, белый большой воротник и вышита в уголке овечка. Кроме того: непромокаемый плащик для Яны, я за таким плащиком гонялась в Новосибирске много лет и так и не смогла его достать. Здесь они тоже стоят недешево, но никаких трудностей со снабжением нет. Были бы деньги. Для тебя я положила синюю водолазку и очень красивые тапочки. Больше, к сожалению, ничего не смогла: нет материальных возможностей.

Пиши мне подробно обо всем. Янино здоровье меня очень беспокоит. Не забывай, что ей необходимы белки, это самое нужное для формирования всех жизненно важных органов. Мы с папой ходили на лекцию одного ленинградца, он здесь пенсионер, а в Ленинграде был одним из ведущих профессоров-терапевтов. Я для себя узнала очень много интересного, записала за ним почти всю лекцию.

Дорогая моя доченька! Я не могу защитить тебя от твоего мужа так, как делала это дома, хотя ты меня и не слушалась. Надеюсь, что время сделает свое дело и ты сама поймешь то, что я тщетно объясняла тебе и тратила на это все оставшееся здоровье.

Целую вас с Яночкой сто миллионов раз.

Твоя мама.

Виола отвечала старательно и подробно, но только неправду. Вернее, не полную правду. То, как у Яны дрожат губы после того, как Андрей Анатольевич объясняет ей правила человеческого поведения в обществе, она не писала.

В самом начале весны Виола увидела сон, из которого поняла, что ничего хорошего ждать не приходится. Во сне она сидела на лавочке в том самом сквере, в котором Адела когда-то катала в колясочке Яну, и тут к ней подсел незнакомый мужчина. Он был до того похож на покойного Кольку Чабытина, что у Виолы чуть не выпрыгнуло сердце. И взгляд был таким же: огонь с бирюзой. Блаженство, охватившее крепко спящую Виолу, помешало ей запомнить подробности их малозначительного разговора, но она очень ясно увидела саму себя, радостно вставшую с лавочки, и мужчину, который, смеясь милым Колькиным смехом, ее обнимает за талию. Потом они быстро куда-то пошли. Виола его не спросила куда. Тем более глупо бы было спросить: «А что мы с тобой будем делать?»

В доме было темно, как в аквариуме. Мужчина, похожий на Кольку, помог Виоле раздеться и подвел ее к дивану с тем странным изяществом, которое с двенадцати лет отличало ее бедового одноклассника. Виола почувствовала, как вся начинает дрожать мелкой дрожью.

«Минутку меня обожди, дорогая», — шепнул он.

И быстро разделся: рубашку снял, брюки. Виола вскочила с дивана. Левой ноги у незнакомого человека не было до самого колена, а вместо ноги был железный протез, который он начал привычно отстегивать.

«Вот так я и знал! — воскликнул мужчина, взглянув на Виолу. — Чего ты боишься?»

Виола натянула платье, которое было на ощупь резиновым, и бросилась к двери.

«Куда? Кто тебе разрешил?» — спросил он Аделиным голосом.

От неожиданности Виола остановилась.

«Иди ко мне, дочка», — сказал ей безногий.

Даже дыхание его, которое Виола почувствовала на своей щеке, было похожим на дыхание ее матери. Она закричала и проснулась. Андрей Анатольевич в голубой майке, источая острый запах чеснока, беспечно спал рядом. Его жилистая, почти безволосая нога с продолговатым коленом прикрыла собой ее ногу так мощно, как будто желала ее защитить.

— Коля! — беззвучно заплакала Виола, вновь вспомнив погибшего Кольку Чабытина. — Любимый мой Колечка! Как же ты умер? Зачем же ты умер, а, Колечка?..

Утром на следующий день почтальон принес письмо, вдоль и поперек перепачканное печатями. Почерк на конверте был незнакомым, а обратный адрес написан по-английски. Ничего не понимая, Виола разорвала конверт.

— *Моя дорогая Виолочка!* — прочитала она. — *Представляю, как сильно ты удивишься, когда поймешь, кто это тебе пишет. А пишет тебе твой отец, дорогая Виолочка. Я жив и здоров, уже два года как переехал в США и сейчас живу в Лос-Анджелесе, в штате Калифорния. Я очень сейчас волнуюсь, когда пишу тебе: а вдруг ты не захочешь дочитать это письмо до конца, а порвешь его и выбросишь в помойный ящик? Не делай этого, Виолочка. Дети не должны расплачиваться за грехи своих родителей, а я и не считаю, что так уж сильно виноват перед тобой. Богу было угодно, чтобы тебя воспитал чужой человек, но мне сказали, что он всегда относился к тебе, как родной отец, и ты можешь гордиться тем, что носишь его фамилию. Дело в том, что моя двоюродная сестра живет в двух шагах от твоей мамы и Марата Моисеевича, она недавно познакомилась с ними и написала мне, какие они оба прекрасные и добрые люди. Жизнь многому научила меня, дорогая Виола. И хотя твоя мама когда-то больно обидела меня и ранила так сильно, как только может один человек ранить другого, я уже давно пересмотрел нашу историю и теперь не обвиняю твою маму так, как обвинял раньше, а стараюсь понять и простить ее. Очень тяжело жить с человеком, которого не любишь, это настоящее испытание, и не все с ним справляются. Я от всего сердца надеюсь, что судьба послала тебе в мужья именно того, кого ты любишь и кто любит тебя. А как же иначе? Ты ведь ничего другого и не заслуживаешь.*

С восторгом узнал от своей двоюродной сестры, что у меня, оказывается, есть внучка Яночка, которой уже тринадцать лет. Не могла ли бы ты прислать мне свои и ее фотографии?

Два слова о себе: через три года после развода с твоей мамой я встретил очень хорошую женщину, на ко-

торой вскоре женился. У нее тоже была дочка такого же возраста, как и ты. А муж ее умер от сердца совсем молодым. Дочку моей жены зовут Еленой, сейчас она уже взрослая и у нее есть свои дети. И Леночку, и ее детей, мальчика Сережу и девочку Катю, я считаю своими родными детьми и очень дорожу тем, как они ко мне относятся.

Не знаю, захочешь ли ты ответить мне и вступить со мною в переписку? Не стану скрывать от тебя, что если ты не захочешь этого и мое письмо останется без ответа, то это будет очень похоже на то, что я уже однажды пережил, когда твоя мама увезла тебя в Петрозаводск. Бог ей судья, она всегда была очень эгоистичной.

Ответь мне, пожалуйста. Хотя бы два слова.

Твой папа.

Письма лежали рядом на ее письменном столе: от матери и от отца. Она не чувствовала ничего, кроме отвращения и страха. Люди рождались на свет с тем, чтобы как можно яростнее мучить ее. Сперва были эти. Вот эти: ее мать с отцом. Они не любили друг друга. Она считала своим отцом другого человека и никогда не вспоминала того маленького, с короткими руками, который когда-то кормил ее чуть кисловатой сметаной, и вишни лежали в траве, и две черные птицы клевали их свежую кровь, этих вишен. Она и запомнила запах сметаны, и эти короткие теплые руки постольку, поскольку запомнила вишни. Они были сочными, красными. Птицы их ели. Потом мать ее увезла.

Чужой человек был всегда намного добрее ее родной матери, он ни разу не ударил ее и не сделал ничего, в чем она могла бы упрекнуть его. Никакого другого отца она не хотела. Теперь этот другой зачем-то появился, и так ощутимо, так настойчиво появился, что она снова почувствовала кисловатый запах сметаны, и прямо перед ее глазами появились его губы, которые он широко раскрывал, поднося к ее губам ложку.

Виола взяла половинку лезвия, лежащего рядом с письмами, и принялась сосредоточенно точить карандаш. Ей почему-то стало легче от этого простого, немного опасного занятия. В глубине квартиры хлопнула дверь: Андрей Анатольич вернулся с работы.

— Виола и Яна! Вы где? — спросил его тусклый безрадостный голос.

Через несколько секунд он вырос на пороге той бывшей Алешиной комнаты, в которой она, сидя за письменным столом, упорно точила карандаш.

— Я что, разве тихо позвал? Так что же ты мне не ответила?

Виола подняла на мужа скорбные серебристые глаза. Тонкая шея ее с выпуклым узелком щитовидной железы покрылась багровыми пятнами.

— Виола! Я что, разве тихо позвал? — повторил он. — Что все это значит?

Она смотрела на него с тою обреченною ненавистью, с которой умная и старая змея смотрит на факира, заставляющего ее извиваться. Потом очень быстрым и мягким движеньем (опять-таки близким к змеиному) положила между нижними и верхними зубами обломок лезвия и зажала его.

— Виола! Немедленно вып...

Андрей Анатольевич не успел договорить нужного слова «выплюни!», потому что она сглотнула слюну, и лезвие исчезло в темноте ее рта.

— Виола-а-а! — закричал Андрей Анатольевич и, ставши белее той самой сметаны, рванулся на помощь.

Она была жива. Он схватил ее за плечи и начал трясти изо всех сил, как трясут дерево, с которого вот-вот посыплются спелые желтые яблоки.

— Где бритва, Виола? Ты что, проглотила?!

Она молча кивнула головой. В глазах ее не было страха.

— В больницу... скорее... рентген... мы успеем! — как безумный, забормотал он, выволакивая ее в коридор и напяливая на нее пальто. — А может быть, ты уронила, Виола?

Она засмеялась и слабо помахала перед его лицом рукою, как это делают стоящие на трибуне Мавзолея старые и закоченевшие вожди, перед слезящимися глазами которых идут нескончаемо люди и машут своими шарами и красными флагами. В больнице Виоле сделали рентген и сказали, что обломок лезвия находится внутри пищевода, но это не точно, поскольку рентген нужно делать не так, как сейчас, а на опустевший и чистый желудок.

— Зачем ее здесь оставлять? — разумно сказал рентгенолог. — Вы лучше следите за стулом. Он сам должен выйти. Конечно, есть шанс, что порежет. Еще бы!

И мрачно причмокнул губами.

— Но все же... в больничных условиях... Все же... — сказал нерешительно муж пострадавшей.

— А что вам условия? — кротко удивился врач. — Что, сестры, по-вашему, будут копаться? Ну, вы понимаете... Точно не будут. А так все же шанс... Если дома. Следите!

Вернулись домой.

— Виола, ложись! — приказал сразу муж.

Она пошла в спальню, легла. Потом вспомнила слова рентгенолога и встала. Вырвала из общей тетрадки два листочка и написала письма отцу и матери. Отцу она сообщила, что тоже жива и здорова и очень хотела бы с ним переписываться. А матери рассказала про школьный спектакль, поставленный по пьесе «Двенадцать месяцев», в котором Яна сыграла роль королевы, и ей очень хлопали. Потом взяла два чистых конверта и вложила в каждый из них по письму. Заклеила и написала адреса.

Прошло три недели. Весна была в самом разгаре. Деревья сурового Новосибирска как будто обрызгали свежей листвою. Виола домой возвращалась с работы и шла очень медленно. Открыла почтовый ящик, вытащила газеты и письмо из Израиля. Она вспомнила, что писем от матери не получала уже давно, и вяло обрадовалась. Читать начала прямо в лифте.

Проклинаю тебя! — писала ей Адела. — *И если я еще раз скажу тебе хотя бы одно слово, пусть у меня отсохнет язык! И пусть у меня глаза ослепнут, если я еще раз увижу тебя в моей жизни! И уши пусть оглохнут, если я еще раз услышу твой голос! Я вычеркиваю тебя из моей жизни и всем буду говорить, что дочь у меня умерла. Ты умерла для меня. Теперь у меня нету дочери.*

Скажу тебе напоследок, что ты всегда была растяпой и дурой, но я все-таки не ожидала, что ты пришлешь на мой адрес письмо, которое ты так ласково написала этому негодяю и посмела назвать его отцом! Какой же он отец тебе после того, что он не только не хотел, чтобы ты родилась, но и своим поведением довел меня до того, что я почти покончила жизнь самоубийством! Чудо спасло меня. А после этого? Разве он заботился о тебе? Разве он вставал к тебе по ночам, когда ты орала благим матом и не только весь дом, но даже и соседи наши в другом доме не могли заснуть из-за твоего ора? Я к тебе вставала и часами носила тебя на руках, чтобы ты хотя бы немного успокоилась. И руки у меня отваливались после этого. Знаешь ли ты, кстати, как он обрадовался, когда я сказала ему, что отказываюсь от его вонючих денег и не желаю никаких алиментов? А ведь если бы он хоть немного любил тебя, он бы, наверное, нашел возможность передать тебе драгоценности своей матери, а не отдал бы их своей второй жене или вообще неизвестно кому. Там было кольцо с жемчугом и кольцо с красивым сапфиром, потому что они были богатыми людьми, но очень жадными и всегда гребли только под себя. И он такой же!

Когда мы с папой прочитали твое письмо, мы не могли смотреть друг на друга от стыда за тебя. Мне хотелось одного: умереть. Но я не доставлю тебе этого удовольствия. Ни тебе не доставлю его, ни негодяю Скурковичу, которого ты теперь считаешь своим отцом! Теперь у тебя нет ни отца, ни матери. Ты круглая сирота. И не зря я не хотела, чтобы ты у меня родилась. Я как будто чувствовала, что ты не принесешь мне ничего, кроме страданий.

Никогда больше не пиши нам. Забудь наши имена и наш почтовый адрес. Яночке я буду писать отдельно, она за тебя и твое поведение не отвечает.

Проклинаю тебя.

Адела Вольпин.

Лифт остановился, и дверцы его отворились. Зажимая рот руками, в которых была сумка, перчатки и это письмо, Виола вышла из кабинки и опустилась на ступеньку лестницы. Она не видела себя со стороны и не слышала своих рыданий. Рыдания были, однако, такими, что тут же сбежались соседи:

— Кто умер? Кто умер? А, муж! Нет? А кто же?

Ее пробовали отпоить водой, но зубы Виолы выбивали дробь на стакане и вода выливалась. Она уже выла — рыдать больше не было сил, — хрипела, захлебывалась, задыхалась.

— Ах, Господи, надо врача! Это приступ, — бормотали соседи, сталкиваясь руками над ее распростертым телом. — Наверное, инфаркт. Вот и всё! Вот так молодыми-то и помирают!

Она затрясла головой, когда у нее попробовали отобрать материнское письмо, и крепче зажала его в кулаке.

— А может быть, это Адела Исаковна? — вдруг осенило кого-то. — А может быть, даже Марат Моисеич? А может быть, оба?

Не переставая хрипеть и захлебываться, Виола вдруг резко поднялась и пошла к своей двери, достала из сумочки ключ, открыла, и дверь за ней тут же захлопнулась.

— Сегодня узнаем! — подбадривая друг друга, зашептали соседи. — Наверное, оба погибли. Вот так вот уедешь к чертям на кулички, а там и прихлопнут! Нет, дома спокойней...

Марат Моисеевич Вольпин легко и охотно приспособился к новым условиям жизни. Особенно радовало то, что никакой особенной чужбины в Берше-ве совсем даже не оказалось. Чужбина — ведь это не климат, а люди. А люди по-прежнему были своими. А главное — солнце, все время тепло. Свои мандарины в саду и лимоны. Сорвешь вот лимончик и думаешь: «Ишь ты!»

С той минуты, когда они получили нелепое письмо Виолы, где она сообщила Бене Скурковичу, что рада тому, что ее отыскали, и будет писать, и пришлет свои карточки, их целая жизнь сразу остановилась. Застыла Адела. После яростного взрыва, когда она кидалась на стены, рвала на себе волосы и всеми словами кляла свою дочь, странное равнодушие охватило ее: теперь она часами сидела в большом кресле, блестя красным лаком ногтей и слезами, которые быстро, не переставая, но тоже как будто совсем равнодушно бежали из глаз, — и молчала. И только когда заходящее солнце бросалось на грудь ей, как рыжая кошка, и вдруг начинало лизать ее тело и нежно окрашивать тусклые щеки, она поднималась и шла в свою кухню. Варила там борщ и крутила котлеты. Потом, когда запах борща поднимался над миром Бершевы, себе подчиняя удушливый запах пустыни и зноя, она подзывала из сада Марата своим переливистым низким контральто:

— Обедать! Я больше не разогреваю!

И он шел покорно. Обедали молча. Глаза ее были страшны, полны кровью: сосуды давно в них полопались. Марату Моисеичу иногда даже казалось, что он сидит за столом рядом с мертвой женщиной, которая почему-то двигается и проглатывает пищу.

Однажды он все же решился:

— Позволь мне, я ей напишу...

— Что напишешь? — спросила Адела безвольно и вяло.

— Ведь мы ее так воспитали, Адела... — смелея, сказал он. — Ведь мы объясняли, что нужно быть вежливой... Нужно тактично... Она растерялась, она у нас — тряпка... А муж негодяй, ей там очень несладко...

Адела подняла на него свои окровавленные глаза.

— Какое мне дело? Ты хочешь? Пиши.

Утром Марат Моисеич отправился на почту и послал в Новосибирск лаконичную телеграмму: «Пожалей мать». А вечером, когда они уже ложились спать и Адела в белой, до пят, ночной рубашке, вышитой по подолу красными русскими петухами, с сеткой на своих поредевших коротких волосах, мазала оливковым маслом большие пальцы, раздался телефонный звонок.

Марат Моисеич снял трубку. Но в трубке Виола рыдала так бурно, что слов было не разобрать.

— Даю тебе маму, — сказал Марат Вольпин.

— Я слушаю вас, — прожурчала Адела.

— Прости меня! Мама! Ты слышишь? Прости!

Лицо у Аделы менялось: краснело, потом стало белым, потом задрожало.

— Прости меня! Мамочка! Мамочка! Ма-а-ама-а!

Виола рыдала. И чем глубже становился звук ее рыданий, чем меньше слов могла она втиснуть в эту содрогающуюся, влажную, взвизгивающую и хрипящую массу, которая услаждала слух и залечивала сердечную боль ее матери, тем ярче, моложе и даже красивей был облик давно постаревшей Аделы. Мысленным взором своим она видела дочь, растерзанную так, как бывает растерзан человек, заблудившийся в лесу и ставший добычей для дикого зверя. Теперь эта дочь не была ей опасна, лежала у ног ее — грузных, отечных, — как жертвы, залитые черною кровью, лежат на своих алтарях и дымятся; но все же она не была еще мертвой, и только Адела решала сегодня, что делать с покорной распластанной жертвой: добить или дать ей возможность подняться.

— Ну, хватит, Виола, рыдать. Успокойся. Такой разговор стоит денег, а деньги гораздо разумнее тратить на Яну. Как, кстати, ей платье в полоску? Налезло?

Алеша, на следующее утро забежавший к родителям, застал Аделу в саду, в тени апельсинового дерева. Она поднимала к плодами свои руки, потом опускала к корням их, крутила горячим и влажным, расплывшимся торсом.

— Профессор, — сказала она, задыхаясь, — велел каждый день упражненья... И важно при этом дышать глубоко... Он мне объяснил: «Вы всю жизнь не дышали». Теперь я дышу... А вот папа не дышит. Пойди объясни ему. Кончится плохо...

Отец Марат Вольпин завязывал галстук.

— Сегодня идем в синагогу, — сказал Марат Вольпин. — Девятое мая! День нашей Победы. Мы с мамой поем на концерте две песни. Ты должен их знать: «Бьется в тесной печурке...» и «Синенький скромный платочек». Нас больше просили, но мы отказались. Потом будет ужин и, кажется, танцы. Я, впрочем, давно не танцую.

Но по тому, как радостно вспыхнуло отразившееся в зеркале отцовское лицо, Алеша понял, что отец наговаривает на себя и будет плясать, сколько сможет. Мать, по-прежнему стоящая под апельсиновым деревом, ждала его с важным таинственным видом.

— Мы с папой простили Виолу, — сказала она. — Что можно поделать? Всегда была дурой и дурой умрет. Мы простили. Я папе сказала: «Тут нечего делать. Она — наша кровь». И папа со мной согласился. Мы с ним недавно были на лекции по изучению истории еврейского народа. Читал один лектор из Иерусалима. Рассказывал много из Библии. И он говорит: был в Самарии голод, и было две женщины. Одна их этих женщин бросилась к царю в ноги, когда он проходил по стене, и сказала ему, что вот эта, другая, женщина говорила ей: «Отдай своего сына, съедим его сегодня, а моего сына съедим завтра». И она отдала им своего сына, они его сварили и съели. На другой день она сказала той женщине, которая просила ее: «Отдай же теперь ты твоего сына, и мы съедим его». А та женщина спрятала своего сына.

— А царь? — испугался Алеша.

— А царь — как обычно, — снисходительно ответила Адела. — Что царь? Разодрал все одежды. Они же язычники были.

— И часто у вас эти лекции?

— Обычно раз в месяц, — сказала Адела. — Но я не хожу. Хотя мне это важно. Другие послушают и забывают, а мне — прямо в сердце...

Глаза ее вспыхнули.

— Думаешь, я бы дала тебя съесть? Я сама бы всех съела! И кости бы сплюнула. Вот, мой хороший. Ты это запомни: пока я жива, и ты, и сестра твоя не пропадете. Умру и *оттуда* вас буду хранить. — Она подняла высоко свою руку. — Я часто ведь вижу: вот я умерла. И *там* говорят мне: «Послушай, Адела! Иди прямо к Богу и все объясни».

— А ты? — И Алеша стал бледным.

— Встаю на колени, ползу. Приползаю. Господь меня ждет. Говорит мне: «Адела! Я знаю, что ты в своей жизни грешила. Зачем ты так много грешила, Адела?» А я говорю Ему: «Что было делать? Послал Ты детей мне, Господь, и оставил. И я — всё одна, всё сама. Что мне делать?» И Он говорит мне: «Ты не беспокойся. Детей твоих Я не оставлю, Адела».

...Слепило глаза от медалей. Ветераны Великой Отечественной войны, перебравшиеся на постоянное место жительства в государство Израиль, пришли в синагогу на праздник. Их жены надели красивые платья, чулки и накрасили губы.

Среди этих женщин, тела которых напоминали опустевшие жилища, где выпиты все запасы вина и с жадностью съедена каждая крошка, Адела казалась царицей. Она и вплыла, как царица. На ее мраморно напудренном лице с ярко, по-театральному нарисованными глазами было такое выражение, как будто ее каждый шаг по земле рождает восторг, а движение взгляда способно повергнуть во прах человека. Черное, в белый горошек платье красиво подчеркивало матовую гладкость ее уже старых, но крепких, как будто слоновой кости, мощно развернутых плеч, ее пышных лопаток, вовсю выпирающих из-под тесемки, украсившей вырез и сзади, и спереди.

Все уже давно знали, что Вольпины — артисты, и это располагало к ним людей; они улыбались им льстиво навстречу, ловили улыбку высокой Аделы и взгляды Марата с густой поволокой. Их номер был третьим на этом концерте. Выйдя на сцену и остановившись слева от своего взволнованно порозовевшего мужа, у которого резкая старческая темнота проступила под его загадочно прищуренными глазами, Адела одернула пышное платье, стараясь, чтоб вырез стал глубже, и в эту минуту глаза ее встретились с теми глазами, которых она до сих пор не забыла.

С того дня, а вернее сказать, с той ночи, когда она последний раз видела эти глаза, они находились слишком близко от ее собственных глаз, и она запомнила их так мучительно, но искаженно, как можно запомнить себя самою. Прошло сорок лет. От его тела, которое она последний раз видела в минуту, когда он, раздвигая тела других людей, притиснутых жарко друг к другу в трамвае, стремился к передней площадке, чтоб прыгнуть на полном ходу и ее не коснуться, — от этого тела осталось немного. Он был теперь жалок и худ, ниже ростом. Ему не хватало — увы — витаминов, а может быть, даже белка и клетчатки, как ей объяснял ленинградский профессор, и это вело к истощению тканей и полному их обветшанию. Что делать... Глаза были мелкими, в складках, в морщинах, но прежняя наглость и голубизна их остались на дне и торчали из складок, как будто бы дерево в солнечных блестках, которое влажно торчит из болота и чудом внутри его не погибает, а так расцветает, как будто на суше.

Она не удивилась тому, что увидела его. Он не имел никакого отношения к ее нынешней жизни и должен был вызвать досаду. Досады, однако, все не возникало. Напротив: ей стало дышать тяжелее, и тонкие струйки холодного пота сползли по спине, растворились под шелком. Сидевший за роялем человек с прилизанными волосами, в профиль напоминающий Вертинского, взял первый аккорд, и Адела запела. Медовым своим, неизменным и сильным, почти перекрывшим Марата контральто.

— Бьется в те-е-есной печу-у-урке огонь...

Она протянула огромные руки к притихшему залу, и зал покорился. Женщины, тела которых напоминали опустевшие жилища, а волосы, тонкие, как паутина, не прятали кожи их жалких затылков, всплакнули негромко. Мужчины прижали ладони к глазам. Эх, всякое было! Конечно, печурка... И в ней огонек... А куда оно делось? Вчера вот сидел, наклонившись к печурке, портянки сушил, а сегодня? Сам старый, в ушах аппарат, и что-то все время скребется и ноет под правым коленом, как будто там мыши, а может, не мыши... Жена держит руку на этом колене, а пальцы жены, как сучки, все в наростах...

Потом они спели про синий платочек. Марат обхватил ее нежно за плечи, и люди растрогались.

— Ты провожа-а-ала и обеща-а-а-ла синий платочек сберечь...

Наверное, пока она пела, он вышел. Им хлопали, хлопали, многие встали. Опять, значит, спрыгнул с площадки трамвая. Беги! Мне тебя не догнать, я устала. А помнишь, как ты целовал мои груди и все повторял, что я слаще, чем дыня? Ты тоже был сладок. И сладок, и темен, весь в шелковой шерсти, как зверь; а уж запах!

Она содрогнулась. Пойти вот и плюнуть. Вот так подойти и сказать ему: «Здравствуй!» Потом улыбнуться и плюнуть повыше, чтоб только попало в глаза, а не мимо. Она усмехнулась растерзанным мыслям. Ах, он убежал? Ну, беги. Здесь пустыня. Съедят тебя, милого, дикие звери...

За ужином, на котором было много разной еды, приготовленной самими участниками, и кто-то догадался принести чугунок вареной картошки и черного хлеба, чтобы напомнить о войне, Адела почти ни к чему не притронулась.

— Адела, как вкусно! — с восхищением бормотал ей муж, облизывая ложку из-под красной икры. — Попробуй, родная, какой чудный студень!

А в восемь пришли музыканты. Адела выплыла в уборную, где несколько женщин, с внимательной мукой смотрящихся в зеркало, пытались заставить себя быть моложе. Они с тихой злостью румянили щеки, зачем-то слюнявили тонкие брови. Потом задирали шуршащие юбки, искали начало чулок, поправляли. Как будто бы это кому-то и нужно!

Она не узнала себя. В зеркале отразилась огненно-красная, как будто ее обварили, старуха.

— Ах, что это я? — удивилась Адела.

Нельзя было так появляться на людях. Руки ее дрожали, и она никак не могла нащупать скользкий замок сумочки; потом все же нащупала его и достала из сумочки помаду, духи и компактную пудру. Напудрилась густо, замазала красное. Потом надушила подмышки и шею. Поправила волосы. Так. Уже лучше. В ушах появился навязчивый звон, и красные искры рассыпались в зеркале.

«Найду его и объясню, что мне плохо. Не стоило есть этой рыбы...»

Она уже решила, что нужно отозвать в сторону развеселившегося Марата Моисеича и приказать ему покинуть праздник. И дома немедленно лечь. Открыть окна. Померить давление, выпить снотворное. Она пошатнулась, схватилась за сумку. Потом улыбнулась, но криво и страшно. Нельзя, чтобы кто-то сейчас догадался, что ей стало плохо: пойдут разговоры. Актриса, нельзя...

И всегда была в форме. Она вышла в зал, где уже танцевали. Старые, растрепанные музыканты с малиновыми пятнами на щеках играли с душой, отдавались всем сердцем. И песни знакомые, прежние песни...

Опять от меня сбежала
Последняя электричка,
И я по шпалам, опять по шпалам
Иду-у-у-у домой по привычке!

Сквозь туман, который застилал ее зрение, она увидела мужа, Марата Моисеевича Вольпина, который кружился с высокой соседкой. Соседка откинула тощую шею и вся заливалась пронзительным смехом.

Я гляжу ей вслед,
Ничего в ней нет...

— Сломает ведь ногу, придурок! — смеясь, но негромко шепнула Адела.

Потом все исчезло. Что-то оторвалось внутри, странная легкость подхватила ее, и тело, которого она уже не чувствовала так, как чувствовала раньше, вдруг стало пылать, словно печь. Пустая, без теста. Поначалу она испугалась своей пустоты и принялась вспоминать все, чем раньше заполняла ее. Но вместо людей проступали скелеты: то муж, то Виола, то мальчик Алеша, то девочка Яна, и всё это сразу — так быстро — сгорало, золы прибавлялось... Ей рук не хватало погладить, проститься. Их не было, рук-то. Но память искала, цеплялась за странный загадочный запах. Как будто бы пыли какой-то, картошки...

И вдруг она вспомнила. Да, молдаване! Старик, их укрывший в холодном подвале.

— Зачем ты нас спрятал? — спросила Адела. — Тебя же убьют.

— Да уж это как будет, — сказал молдаванин. — Как Богу угодно. Тебе-то за что помирать? Молодая. Господь что решит, то и будет. Поешьте. Оливок поешьте. Вода-то осталась?

Она успокоилась сразу, обмякла. Теперь мы все вместе. Теперь мне не страшно.

ДЕД

Закрываю глаза и вижу этот переулок. Первый Тружеников. Двухэтажный деревянный дом, в котором я прожила первые десять лет своей жизни, и маленькую церковь на той же, правой, стороне улицы, где Чехов венчался с Ольгой Книппер, и угловой дом, на втором этаже которого жила моя одноклассница Алка Воронина, и у ее мамы, работающей в ГУМе продавщицей, часто бывали гости.

Я никогда не представляю себе его летом, всегда только зимой. Странная вещь — воображение: вижу не только снег, от которого бела и пушиста мостовая, но чувствую его запах, слизываю его со своей горячей ладони, только что больно ударив ее на ледяной дорожке, которые мы называли «ледянками» и на которых всегда звонко падали, особенно лихо разбежавшись. Когда я родилась, парового отопления в нашем доме еще не было, отапливали дровами, и особым наслаждением было ходить с дедом на дровяной склад —

по раннему розовому морозцу — выбирать дрова. Так чудесно пахло лесом, застывшей на бревнах янтарной смолою, что жалко было уходить из этого мерцающего снегом и хвоей царства, где свежие дрова лежали высокими поленницами и покупатели похлопывали по ним своими рукавицами, прислушивались к звуку и даже, бывало, принюхивались.

Дед умер, когда мне было семь лет, и самое яркое воспоминание о нем связано с тем, как последней перед школой зимой меня решили поглубже окунуть в детский коллектив, покончить с моею застенчивостью, но в сад отдать все-таки не захотели, а выбрали для этой цели «группу». «Группами» называли детей, гуляющих в сквере с интеллигентной дамой, а чаще старушкой из «бывших», которая играла с этими (тоже обычно интеллигентными!) детьми, водила с ними хороводы и заодно пыталась заронить в их беспечные головы несколько иностранных слов, обычно немецких и реже — французских. Таким образом здоровая прогулка на свежем воздухе совмещалась с образованием. Сначала меня записали к Светлане Михайловне, женщине румяной, круглоглазой и очень крикливой, но вскоре выяснилось, что ни одного иностранного языка Светлана Михайловна не знает, и меня перевели в другую группу, поменьше, где худенькая старушка Вера Николаевна с каким-то хрустальным пришептыванием легко переходила с одного иностранного языка на другой, но главное: только увидев меня, сейчас же вскричала: «Мальвина!» Чем очень понравилась бабушке.

Меня привели в сквер, как и полагалось, к десяти. Привел дед и, оглядев всех детей, а особенно Веру Николаевну, зоркими и умными глазами, пошел было к главной аллее (мы гуляли в маленькой, боковой!), чтоб выйти из сквера на улицу.

Я зарыдала и бросилась его догонять. Вера Николаевна бросилась за мной, интеллигентные дети, побросав свои лопатки, бросились за Верой Михайловной, и, хрустя по чистому, еще не исхоженному снегу своими валенками, мы все догнали деда и окружили его. Я, не переставая рыдать, уткнулась в карман его тяжелого добротного пальто, где лежали ключи. Дед растерялся. Меня необходимо было заставить остаться в этом хорошем детском коллективе, потому что иначе как же я пойду в сентябре в школу — такая вот дикая, странная девочка? Но при этом звук не то что моих рыданий, но даже легкого всхлипывания действовал на деда так неотразимо тяжело, что лучше уж было забрать меня сразу домой, пойти со мной вместе на склад, в военторг, где круглый год продавались елочные игрушки, и даже пойти в гастроном на углу и позволить мне выпить стакан томатного сока из общего, слегка ополоснутого стакана, что было строжайше запрещено бабушкой. И соли туда положить тоже общей, кривой и обугленной ложкой.

Умная и, думаю, всякого повидавшая на своем веку Вера Николаевна, хрустально пришептывая, предложила деду гениальное решение: сесть на одну из массивных лавочек с ажурными, утопающими в снегу лапами, спиной к нам, резвящимся на иностранном языке в маленькой боковой аллее, и так просидеть три часа. И я успокоюсь, поскольку дед рядом, и буду с детьми, как о том и мечтали.

И он послушался её, вернее меня, моих этих слез, и капризов, и криков. Он сел на лавочку, стоящую на центральной аллее, а я с остальными детьми вернулась к тому столетнему дереву с дуплом, под которым полагалось водить хороводы. И заигралась, конечно, забыла о нем, увлеклась своей новой и полною жизнью. Но каждые десять-пятнадцать минут я спохватывалась, бросала лопатку, бросала «куличик», слегка кривобокий от формы ведерка, и переводила глаза на эту лавочку, над которой возвышалась прямая спина моего деда, посеребренная мягко и медленно идущим с небес снегом. Один раз я не увидела его на этой лавочке и уже приготовилась зарыдать, но тут же успокоилась: дед никуда не ушел, он просто окоченел и потому подпрыгивал рядом, похлопывая себя по бокам и растирая щеки варежками. Ровно в час дня культурная и оздоровительная прогулка закончилась, и мы, взявшись за руку, пошли домой.

— Не замерзла? — спросил меня дед.

Я отрицательно покачала головой: новые впечатления переполняли меня.

И так продолжалось до самой весны: он сидел на лавочке, я играла с детьми. Он мерз, я сияла от счастья. Откуда мне, шестилетней, было догадаться, что значит сидеть три часа на морозе во имя любви?

БРАК ПО ЛЮБВИ

«Господи, не отнимай у меня его! Не отнимай!» Так она заклинала, шептала, выстанывала все семь лет их ужасного брака, и если бы ее попросили объяснить, почему она так прикипела к мужу-алкоголику, который уходил в запой каждые два-три месяца в начале их совместной жизни и каждые две-три недели в конце ее, она ничего не смогла бы объяснить.

...Чувствовала, что отнимут.

И тогда, в день первой встречи, чувствовала.

Терри хотела показать ей своего нового любовника: психиатр из Нью-Джерси, сто восемьдесят тысяч в год, но странен до того, что, кажется, сам недалек от помешательства.

— Посмотри, как он выглядит со стороны, — попросила Терри. — Если тебе не понравится, брошу завтра же.

Она и поехала посмотреть.

Поляна, озеро, дымное от жары, с зеленым островом на середине.

На острове — три дерева.

Не успели они выйти из машины, как он подошел. Она даже лица не рассмотрела хорошенько. Глаза яркие, черные, улыбается. Широкие плечи, седые волосы.

Назвал свое имя, она — свое. Взял из ее рук бумажные пакеты с водой и кока-колой. Белая бабочка села на ее плечо, взмахнула крыльями, но не улетела, а так на плече и замерла.

— Мой ангел-хранитель, — засмеялся он. — Нашел-таки.

Тогда она сказала торопливо:

— Пойду окунусь, — и побежала к озеру, не взяв даже полотенца. Странное было ощущение в ногах, пока она бежала...

Ступни горели.

Он дождался, пока она выкупалась, и они сразу же ушли в лес, опустились в прохладную траву. Что-то говорили, но что, ни один из них не помнил потом. Он начал целовать ее мокрые волосы, плечи...

Через несколько минут из кустов выскочила бессмысленно-счастливая собака с раскрытой малиновой пастью. Следом появился хозяин — худой старик в клетчатых шортах. Сказал:

— Приветствую! — и слегка смутился. Отозвал свое лохматое заливистое дитя.

Через полчаса они вернулись к остальным. Там уже кипело веселье, жарили рыбу на гриле, пили пиво... Психиатр из Нью-Джерси показывал фокусы со спичками. Терри изучала его наивными глазами.

Ночью, в маслянистой темноте деревенской гостиницы, он взял ее так просто, словно она всю жизнь принадлежала ему. Говорить не хотелось. Они оказались одной плотью. Луна, плача, смотрела на них сквозь шумящую листву.

Две-три недели она ни о чем не догадывалась. Когда они обедали в ресторанах, он пил только ледяную воду. Пальцы его слегка дрожали.

Она не обращала на это внимания.

Правда открылась в самом конце ноября, когда их пригласили в большую компанию на празднование Дня благодарения.

Она долго стояла в пробке, потом свернула не туда, запуталась, искала дорогу и сильно опоздала, приехала к самому концу, когда обед был уже съеден, а посреди стола лежали остатки безголовой индейки.

Он сидел в комнате, совершенно один — остальные разбрелись кто куда в ожидании чая. Сидел неподвижно, глядя прямо перед собой, и на лице его было никогда не виденное ею прежде выражение веселого бешенства.

Он сжимал рюмку, полную черной виноградной крови, прыгающими пальцами.

— Что ты? — спросила она, наклонившись к нему. — Тебе нехорошо?

— Мне-то? — жестко ответил он и усмехнулся. — Мне-то очень хорошо, а вот ты... — он неожиданно выругался. — Ты-то где шлялась, курочка?

Она ахнула и отшатнулась. Он выронил рюмку, облокотился о край стола, встал, не глядя на нее, твердо прошел в соседнюю комнату и там со всего размаха упал на пол, зацепив стоявший на круглом столике телефон.

На следующий день она попыталась скрыться. Не звонила ему, не отвечала на звонки. Вечером он подъехал к ее дому, приставил лестницу и влез на балкон второго этажа — бесшумно, как кошка. Она заплакала и замахала руками.

Тогда же ночью он рассказал:

— Я пью с тех пор, как мне исполнилось четыре года. — Она увидела, как остановились его глаза. — У меня очень добрая мать, хорошая, добрая женщина, но и она пьет всю жизнь. Это наследственное, то же самое было с ее отцом. Он умер совсем молодым. Мне было четыре года, когда мать привела меня в бар и заказала себе — джин с тоником, а мне — яблочный сок. Она отошла на минутку, и официантка принесла два стакана — мне и ей. Я перепутал и вместо яблочного сока хватанул спиртного.

— Ты пробовал лечиться? — спросила она и прижалась лбом к его горячему лбу. — Ведь многие...

— Что? — сморщился он. — Что многие?

Она отодвинулась от него и рывком села на кровати.

— Зачем же ты скрыл?

— Хочешь отказаться от меня? — спросил он. — Хорошо. Я тебя не удерживаю. Хочешь — давай. В общем, как ты сейчас решишь, так и будет.

Свадьба была назначена на шестое июля.

Незадолго до свадьбы позвонила Терри.

— Давай встретимся. Я тебе кое-что объясню.

Встретились в кафе.

— Ты твердо решила? — Терри просверлила ее наивными глазами. — Подумай. Это болезнь.

Она отодвинула от себя чашку:

— Я знаю. Но мы попробуем. Он будет лечиться.

— Я работала в наркологическом центре в госпитале Святой Елизаветы, помнишь? — Терри задумалась и помолчала. — Года четыре назад. Это дьявол.

— Ты с ума сошла?

— Нет, я правда так думаю. Я росла в Пенсильвании, родители принадлежали к секте Обитель веры, там нам все объясняли. Ты знаешь, что меня до двадцати лет ни одному врачу не показали? Лечили молитвами. Не верили, что люди могут помочь. Потому что есть только бог и дьявол, они борются за человека. Алкоголики и самоубийцы — самые несчастные, потому что бог от них отвернулся.

— Что ты сравниваешь, — крикнула она, — при чем здесь самоубийство?

Терри блеснула круглыми зрачками:

— Потому что он не просто так пьет. Он убивает себя. Пока — медленно, потом... — Терри замолчала.

— Ты знаешь что-нибудь? — спросила она.

— Да, — ответила Терри, — я знаю, почему он выбрал именно тебя.

— Почему?

— Потому что ты — его последняя надежда. Если он не спасется тобой, он уже ничем не спасется. Он будет держаться столько, сколько ты будешь с ним. А потом — все.

— Что — все? — спросила она.

— Все, — повторила Терри, зажмурившись. — И это не шуточки.

Свадьба — очень тихая — состоялась в доме его матери, старом викторианском доме с цветными стеклами. Она видела, что он не в своей тарелке, слишком часто усмехается, слишком много курит. Руки его дрожали так сильно, что ей хотелось прикрыть их салфеткой.

Вечером, проводив последнего гостя, он вдруг исчез. Она стояла у окна, глядя в черную беззвездную ночь. Мать его подошла сзади, погладила ее по плечу:

— Иди спать, он никуда не денется.

К утру он вернулся, в разорванной рубашке, еле одолев крутую лестницу на второй этаж. На лице его было уже знакомое ей выражение веселого бешенства.

Бежать бы тогда! Бежать сломя голову!

Узнав о ее беременности, он попытался держаться. Пару раз ее увозили в больницу с диагнозом «острый токсикоз», и он неизменно был рядом. Она привыкла к тому, что он рядом, начала успокаиваться.

Незадолго до родов он исчез и пропадал два дня. На третий вернулся — измученный, небритый — и стал перед ней на колени. Она положила одну руку на его голову, другую — на свой живот. В животе толкнулся ребенок.

— Давай попробуем, — прошептал он. — Не бросай меня.

Сын — черноволосый, черноглазый и слабенький — появился на свет без него. Он пришел на следующий день, когда ее уже выписывали. Обнял трясущимися руками.

Она, вспыхнув, поймала жалеющий взгляд медсестры, которая возилась с ребенком.

О, как страшно они жили! Сколько ночей было проговорено — напролет, без секунды сна. Во время особенно тяжелых запоев он не дотрагивался до нее и спал в другой комнате, но в периоды просветления тело ее было нужно ему как воздух.

Дни уходили, таяли ночи, но тьма их жизни никуда не девалась и нависала над ними, как грозовая туча. Пьяный, он возвращался домой под утро, падал на постель, и она плотно закрывала дверь его комнаты, чтобы сын не понял, что происходит.

— Пусти меня к ребенку, — бормотал он заплетающимся языком, — пусти, я хочу сказать ему спокойной ночи.

— Иди в душ, — брезгливо просила она.

— Если бы ты меня любила, — продолжал он, — я бы давно бросил. Я пью, потому что ты меня ненавидишь.

Сыну исполнилось пять лет. Втроем они украсили дом шарами и цветными лентами к приходу детей.

В разгаре веселья он исчез.

— Все, — сказала она себе, — больше я не могу.

Он вернулся на следующий день к вечеру.

— Завтра, — сказала она, войдя в кабинет, где он лежал, отвернувшись лицом к стене, — мы с Дэном улетаем в Лос-Анджелес.

— Зачем? — спросил он, не оборачиваясь. — Что вы забыли в Лос-Анджелесе?

— Я ухожу, — произнесла она, смутно чувствуя, что никуда не уйдет. — Я прошу тебя уладить все формальности. И позвонить мне. Мы остановимся у Джин.

Он молчал. Потом пробормотал:

— У тебя есть кто-нибудь?

— Кто? — удивилась она. — С чего ты взял?

Неожиданно он вскочил и схватил ее за горло.

— Никуда я тебя не отпущу! Никуда ты от меня не уйдешь! Слышишь!

Глаза его были полны ужаса. Она вырвалась и прижалась спиной к стене.

— Ты с ума сошел.

— Я сошел с ума! — закричал он, подняв над ней побелевшие кулаки. — Я сошел с ума! У меня всю жизнь вот здесь, — и застучал по своей седой голове, — у меня всю жизнь вот здесь дыры! Черные дыры, в которые все проваливается! Я хочу удержать, слышишь ты! Я держу, а все проваливается! И ничего, ничего! Ни-че-го!

Она, плача, выбежала из комнаты.

Через неделю он позвонил в Лос-Анджелес и сказал, что все формальности улажены.

— Можешь возвращаться спокойно, — добавил он. — Я больше не появлюсь.

Она похолодела и произнесла первое, что пришло в голову:

— Как? А Дэн? Ты что, не хочешь увидеть ребенка?

Он засмеялся и повесил трубку.

Она вылетела в Бостон первым самолетом. В доме были открыты все окна. Постель в его кабинете была разобрана, на полу — батарея пустых бутылок. Она внимательно оглядела письменный стол, надеясь найти записку. Ничего, пусто.

Сын побежал наверх, в детскую.

— Хочешь есть, мой золотой? — спросила она. — Проголодался?

Он отрицательно покачал головой, и она вздохнула с облегчением — можно не возиться. Прошла в спальню, легла на кровать и вдруг — словно внутри погасили лампу — крепко заснула.

Во сне она ясно почувствовала, как у нее шатается передний зуб. Дотронулась мизинцем, зуб сразу же выпал. Она подошла к телефону, чтобы позвонить врачу, но вдруг обнаружила, что не помнит нужного номера. Между тем зашатался еще один зуб — сбоку. Она вынула его и в отчаянии бросилась к зеркалу. На месте зеркала висела черная тряпка.

Тогда она поняла, что спит, и сделала над собой усилие, пытаясь проснуться. Ей показалось, что она раскрыла глаза, села на постели и увидела, как за окном гаснет весенний вечер. Надо быстро найти сына и накормить его. Она хотела крикнуть, чтобы сын спустился к ней в спальню, но тут же холодный пот прошиб ее: она не помнила, как зовут ребенка.

Тогда она застонала от страха и проснулась по-настоящему.

В комнате было темно — сколько же она спала? Он сидел за столом в белой рубашке и черном пиджаке.

— Когда ты пришел? — спросила она. — Почему не разбудил меня?

Он улыбнулся спокойно:

— Ты так красиво спала. Жалко было будить.

Она завернулась в плед и, волоча его за собой, близко подошла к нему:

— Ты вернулся? Что с тобой?

— Пошли поедим, — сказал он, крепко прижав ее к себе. — Все хорошо.

Вернулся, вернулся, вернулся.

Господи, не отнимай у меня... Пусть будет так, как есть, пусть будет, как было, не отнимай...

Доехали до маленького рыбного ресторанчика. Подскочил официант с войлочной шапкой густых волос. Заказали лангустов. Горячий сок тек из клешней.

Рядом, в большом темном аквариуме, доживали другие лангусты, двигали усами, наползали друг на друга. На клешнях — резинки, чтобы не подрались, не поранились, в тишине ждали смерти. Смерть наступала в котле.

— Слушай, Дэн, — вдруг сказал он, — давай их всех купим и выпустим в море. А? — Он заглянул в аквариум. — Сколько вас там, ребята? Двенадцать. Значит, двенадцать живых существ будут спасены.

— А зачем же мы съели трех? — огорчился сын. — Ты бы раньше сказал!

— Ну, никогда не поздно спасти душу. Трех мы съели, а двенадцать спасем, хочешь?

— Хочу, — сказал сын.

К удивлению итальянца с густой шапкой волос, купили всех.

Лангусты, не понимая, что спасены, вертели маленькими головами.

Подъехали к морю. Он опустился на корточки, раскрыл коробку.

— Ну, ребята, живите, — сказал он.

Сын восторженно захлопал в ладоши.

Дома было холодно, светло от лунного света.

Не раздеваясь, она легла рядом, прижалась к его боку.

— Вот, — сказал он и улыбнулся, как всегда, одними губами. — Вот мы и справились. Ничего такого больше не будет.

— Ты уверен? — прошептала она и вдохнула родной запах его лица. — Не сорвешься?

Он усмехнулся:

— Нет, моя радость. Не сорвусь. Свобода.

...Сквозь утренний сон она услышала, как от дома, шурша шинами по гравию, отъехала машина.

— Уехал, — проваливаясь в рассветное тепло, удивилась она. — Куда в такую рань?

В полдень ей позвонили из госпиталя. Он покончил с собой, выбросившись из окна небоскреба на Парк-стрит.

Вскрытие показало, что умер он — трезвым.

БЕЛАЯ ДОРОГА ЧЕРЕЗ ЛЕС

Свадебное платье напоминало облако, пронизанное утренним светом, а все оттого, что чехол поставили такой, как она хотела — бледно-розовый.

Она так и задумала: не чисто белое, как у всех, а вот такое — розоватое, словно внутри шелка спряталось солнце.

Звон цикад за раскрытым окном становился все громче, словно и цикады пытались выразить восхищение ее красотой, отраженной в массивном зеркале родительской спальни. Она смотрела на свое отражение, и ей хотелось плакать от счастья. Какая жизнь ждет их впереди! Господи! Богатая, свободная, с интересной работой, праздниками, новыми людьми! Лето можно проводить здесь, в родительском доме на берегу океана, зиму, весну и осень — в Нью-Йорке. Кроме того, есть еще острова, Париж, Рим, Венеция...

— Подожди, — сказал он и дотронулся до ее шеи. — У тебя запуталось вот здесь, — и, осторожно освобождая замок «молнии», зацепившийся за воротник, крепко поцеловал холодный металл.

— Тихо! — дернулась она, упиваясь своей новой властью, которая в эту последнюю неделю стала особенно заметной.

Теперь можно было пробовать эту власть сто раз на дню. Можно было прикрикнуть, слегка обидеться, выйти непричесанной на террасу, снисходительно отнестись к тому, что он думает по поводу Достоевского, сказать младшим сестрам, что устала и в теннис играть не хочет. Всё они стерпят от нее, эти люди, всё, всё, всё!

* * *

...Оленя, жившего в остервильском лесу, мучила боль в ноге.

На рассвете боль разбудила его и погнала прочь от дома, через колючие заросли шиповника и дикой малины. В большой голубовато-черной голове возникло воспоминание о реке. До нее надо было добраться и опустить туда ногу с мучительной болью.

Река была по другую сторону шоссе, придется пересечь кусок дороги, по которой мчатся железные твари.

Он вышел на опушку и, низко нагнув выпуклый лоб, послушал землю.

Если его ждет смерть, земля должна сказать об этом. Земля молчала.

Кроме пугливых нашептываний мелких существ и медленного, светлого звука растущей травы, ничего не было слышно.

Тогда, вздрагивая горячей больной ногой, олень осторожно вышел прямо на дорогу, надменно вскинул голову, обливая презрением этот не принадлежащий ему и его близким кусок родного леса, сделал шаг по направлению к летящей на него черной рыбе с ярко-желтыми глазами, и тут же боль в ноге прекратилась.

Вместо этого он почувствовал жар во всем теле, что-то надавило ему на голову, на спину свалилось огромное, сверкающее дерево, а все остальные деревья стали красными. Ноги подогнулись, и он тут же упал.

Его полураздавленная голова гулко стукнулась об асфальт.

Черная рыба поспешно развернулась и понеслась назад, закрыв свои немигающие выпученные глаза.

Некоторое время шоссе было пустым, и оленя, торопливо доживающего жизнь, видели только небо и деревья, что росли по обочине дороги.

Смуглая девушка за рулем джипа, вскрикнув от неожиданности, вывернула машину вправо, чтобы не наехать на раздавленное, с вывалившимися внутренностями тело. Она остановилась на обочине, вышла из машины, беспомощно постояла над умирающим зверем и поехала к ближайшему телефону-автомату, чтобы сообщить в полицию о случившемся.

* * *

— Нет. Уж ты, пожалуйста, спи сегодня у себя, — сказала она. — Мне надо хорошо выглядеть завтра.

Они только что поднялись наверх после приятного ужина в одном из уютных курортных ресторанчиков. На ужине были самые близкие. Свечи горели ровно — длинными, светлыми язычками, маленький ресторанчик был украшен голубыми бантами и оборками, официантка улыбалась, как родная, щеки у нее были сладкого, яблочного цвета. Все это, несмотря на летний вечер за окном, странно напоминало Рождество, и марлевая пелена тумана, покрывшая ровное пространство за окном, казалась снегом.

— Я так счастлив, что вряд ли доживу до завтра, — он повалился на спину, увлекая ее за собой. — Я не доживу до завтра!

— Нет, это я не доживу, — смеясь и отбиваясь, закричала она, — ты меня сейчас задушишь, и я не доживу, убирайся!

— Ни за что, — переходя на английский, пробормотал он. — Ни за что не уберусь, не дождешься!

...Они тихо лежали рядом, погружаясь в сон. Голова его блаженно лежала на ее плече. Цикады не унимались.

* * *

Сначала появился серый кот, которого чей-то знакомый голос назвал котярой. Дикое слово, обросшее свалявшейся шерстью, подползло ей под бок, и звон цикад сразу же прекратился. Вместо него послышался нежный, как паутина, звон далекого трамвая, и в открытую форточку ворвался запах свежесрубленной ели.

«Новый год!» — вспомнилось ей.

«Мама!» — закричала она, но вместо матери в комнату вошел сумасшедший Степка, живший в комнате напротив.

* * *

Страшнее Степки не было ничего на свете. По утрам он с громким мычанием вваливался в кухню и сразу же начинал пить воду из-под крана.

Он пил, обливая грязную майку и драные штаны, съехавшие ниже пупа, булькал, рычал и захлебывался. Соседи стояли молча и ждали, пока он напьется. Ни толстая тетя Катя с косами, обмотанными вокруг головы, ни бабка Тимофевна с совиными глазами, в уголках которых всегда блестело по слезинке, ни кроткий, сильно пьющий дядя Костя-скульптор — не говорили ни слова. Никто не знал, чего ждать от сумасшедшего, которому самое место в психиатрической лечебнице.

Напившись, Степка подходил к плите и брал еду из любой кастрюли.

Кухня молчала. Степка мычал и чавкал. Потом вытирал руки о штаны и уходил к себе до вечера. Вечером могло произойти все, что угодно.

Иногда он спал, оглашая квартиру храпом и свистом, но чаще случались приступы бессмысленной ярости, которые заканчивались тем, что приезжали санитары и делали укол.

— Да когда ж вы его от нас заберете! — вопили жильцы, хватая хмурых санитаров за рукава.

— А чего там забирать? — огрызались санитары. — Он не опасный.

— Это как же не опасный? — взвизгивала тетя Катя. — Гля, что он со стенами сделал?

Со стен Степка остервенело сдирал обои.

— Ну? — удивлялись санитары и уезжали на своей заляпанной грязью машине.

— Хлопотать, хлопотать надо, — бубнила Тимофевна. — Блат нужен, тогда заберут!

Уже тогда, в свои десять-двенадцать лет, она знала, что надо бежать оттуда. Бежать!

«Как это Степка попал сюда?» — мелькнуло у нее в голове. Сомнений, однако, не было: это был он, давно умерший, маленький, вонючий и сильный, в сатиновых штанах и грязной майке.

Он появился в дверях и посмотрел на зеркало, украшенное золотыми листьями по дубовой раме.

— Мы-ы-ы! — замычал он и, подтягивая штаны, двинулся к ней.

За окном было темно и ветрено, наступал Новый год, скоро пробьет двенадцать, надо садиться за стол, открыть шампанское...

Но кто откроет его, если отец умер и неделю назад они с матерью его похоронили?

Степка медленно приближался к кровати, мыча и гримасничая.

Она поняла, что он-то и есть ее настоящий жених, а долгожданная свадьба будет не в приморском Остервиле, а тут, во дворе их старого дома на Мойке.

Невидимый «котяра» впился зубами в низ ее живота и начал, урча, прогрызать его. Она застонала от боли и проснулась. Цикад не было слышно, но осторожное пение какой-то молоденькой птички наполняло комнату, словно фортепианная гамма, разыгрываемая детскими руками. Дэвид крепко спал, уткнувшись в ее плечо. Она перевела дыхание.

Значит, все это ей приснилось.

Пить хочется. Осторожно высвободив плечо, она отстранила его голову, спустила ноги с кровати, и тут же что-то горячее, черное полилось на ковер. Она не сразу поняла, что это ее собственная кровь, и вскочила.

Лилось так сильно, будто внутри ее тела открыли кран.

Она обернулась к Дэвиду и увидела, что он смотрит на нее остановившимися глазами.

— Что с тобой? — хрипло спросил он.

— Не знаю! — закричала она. — Я не знаю!

К горлу подступила тошнота, голова закружилась, Дэвид бросился к телефону и схватил трубку.

* * *

Она шла с олененятами по его следу и с каждым шагом тревожилась все больше и больше. Чутье привело ее прямо к кровавой луже на асфальте.

Олениха приблизила ноздри к земле и принюхалась. Лужа пахла им. Оленята жались друг к другу и ничего не понимали. Мать словно забыла о них.

Тогда оленята затосковали и стали звать ее домой, в лес.

Подъехавшая машина ослепила их своими фарами. Полицейский подошел к оленихе и ткнул ее в бок дубинкой. Она не испугалась и не отреагировала.

Полицейский выстрелил в воздух, и оленята, оглушенные выстрелом, бросились бежать.

— Иди, — сказал полицейский оленихе, — иди, а то собьют.

Словно поняв его слова, она еще раз шумно втянула ноздрями запах его смерти и скрылась.

* * *

Лизи, молоденькая медсестра госпиталя Святого Франциска, чуть было не опоздала на свое утреннее дежурство: вид раздавленного оленя так сильно подействовал на нее, что она пропустила нужный поворот и сделала большой крюк. Из машины «Скорой помощи» на ее пост сообщили, что везут женщину с тяжелым маточным кровотечением, нужно немедленно оперировать. Лизи вызвала по биперу хирурга и анестезиолога.

Двери лифта, шурша, раздвинулись, выехала каталка, на которой, до подбородка накрытая простыней, лежала очень бледная женщина с золотистыми волосами.

Рядом с каталкой шел молодой испуганный мужчина. Медсестра попросила его остаться в приемной, сделала знак санитарам и поспешила в операционную, где все уже было готово.

* * *

Какая ждала жизнь, веселая, богатая! Лошади, острова, премьеры...

А платье! До чего удачен этот розовый чехол внутри белого шелка! Я ведь говорила: «Непременно розовый...»

В Питере идет мокрый снег, полный липких английских слов.

Мы будем говорить по-английски, раз ты американец. Мама не выбросилась из окна, не вы-бро-си-лась! Она просто побежала за лимонами, на Невском вы-бро-си-ли лимоны!

Тропинка, по которой она шла, тянулась вдоль глухого забора.

Идти было больно — каждый шаг отдавался в животе, который только что разрезали ножом и еще не зашили.

Вдруг стало влажно и жарко, как в парной, и чей-то испуганный голос громко сказал: «Умер». Она задрожала и всхлипнула, но тут же пришло облегчение, ее оторвало от земли и вынесло в холодный, полный белого света, простор. Теперь она не ощущала ничего, кроме радости освобождения, к которой примешивался страх, что она потеряется в этом просторе и не найдет дорогу. Вдруг она почувствовала рядом отца с матерью. Отец и мать — еле различимые в холодной белизне и сами белые, почти прозрачные, — гладили ее по голове и плакали. Почему-то она догадалась, что они давно уже стали одним существом, а теперь хотят только одного: чтобы и она присоединилась к ним. С каждой секундой становилось все легче и легче дышать, радость переполняла ее, и наконец, не выдержав, она громко засмеялась, хотя и не услышала своего смеха.

* * *

Гости пили разноцветные коктейли на террасе и осторожно переговаривались.

Рано утром невесту отвезли в больницу, и никто не знал, что с ней.

Огромный стол в саду был завален подарками, а другой стол, под тентом, накрытый ослепительно белой скатертью, стоял пустым и чистым, как зимняя дорога. Распоряжения расставлять приборы не было, и вежливые официанты во фраках чувствовали себя неловко.

* * *

Оленята догадались, что их отец умер, и целый день не отходили от матери. Мать тосковала по отцу — они чувствовали это — и, не будь их, снова бы пошла к тому месту, где его убили, чтобы еще раз понюхать бурые сгустки на дороге — все, что от него осталось.

* * *

Стойте! Откуда взялась здесь тяжелая, почти до потолка дверь?

Ведь все время было небо! Белое и густое, огромное, шумное, как океан, небо!

Она изо всей силы надавила на эту невесть откуда взявшуюся дверь. Не получается! Родители все еще были рядом, но они уже не хотели или не могли ей помочь. «Мама!» — взмолилась она, но мать глазами объяснила ей, что дверь не открывается, потому что с той стороны что-то упирается в нее.

Тогда она встала на цыпочки, зажав обеими руками свой развороченный живот, и увидела: по ту сторону двери лежало большое неподвижное животное.

— Кто это? — разволновалась она. — Почему он лежит там?

— Умер он, умер, — словно успокаивая ее, прошептала мать.

— Кто умер? — закричала она. — Кто это?

...Никто не ответил ей. Да и кто бы ей мог ответить?! Ее отца не стало в декабре 1997 года, а мать покончила с собой через полторы недели после его похорон.

* * *

Смуглая Лизи сдавала дежурство. Она подошла к Дэвиду и по-свойски, как участница пережитого, погладила его по плечу.

— Все будет хорошо, — сказала она. — Теперь все будет хорошо, но случай действительно странный. У нее должны были быть боли, она не жаловалась?

Он отрицательно замотал головой.

За окном темнело, наступал вечер — пахнущий шиповником, с редкими звездами на темнеющем небосклоне. Вдруг Дэвид заметил, что она не спит и смотрит куда-то мимо него широко открытыми глазами. Он наклонился к ней.

— Слушай, — хрипло сказала она, по-прежнему не глядя на него. — Я тебя обманывала. Я тебя не люблю.

Он испуганно оглянулся на Лизи. Та понимающе улыбнулась.

— Это наркоз действует. Больные не понимают, что они говорят.

— Я все понимаю, — так же хрипло сказала она и облизнула пересохшие губы. — Можно попить?

— Можно, — сказала Лизи и поднесла к ее губам трубочку.

Она сделала глоток и опять облизнулась.

— Я тебя все время обманывала, — повторила она. — С самого первого дня.

Лицо ее огненно покраснело, словно она вспомнила что-то постыдное.

Он поцеловал ее в щеку.

— Не надо! — вскрикнула она и быстро провела рукой по щеке, стирая его поцелуй. — Так больше нельзя!

— Что ты, — растерянно бормотал он, — успокойся...

— Девушка! — крикнула она вдруг по-русски в спину отошедшей Лизи. — Можно мне еще соку?

Он торопливо перевел. Лизи пошла за соком.

— Я тебе все расскажу, — мстительно сказала она. — Ты должен знать.

— Успокойся, — опять попросил он. — Это пройдет...

— Пройдет? — с трудом засмеялась она. — Нет, ты послушай сначала. Когда мы с тобой познакомились, я была не одна. Моего мужа (мы не расписывались, но это неважно!) звали Александром, Сашей. И мы жили то у него на Чкалова, то у меня на Мойке. И как раз когда ты появился, за две недели до того, Сашину мать разбил инсульт. Тогда я переехала к себе. Потому что это было очень тяжело. Саша согласился на мой переезд. Ему было стыдно за то, что стало с его матерью. Хуже младенца! И ходила под себя, и слова забывала. Почти ничего не соображала. А в больницу у нас таких не берут. Ну, вот. Это было мое первое предательство. Я испугалась. А когда появился ты, мне пришло в голову, что это неспроста. Ты — мой единственный, первый и последний шанс. Не дай бог упустить!

Дэвид закрыл лицо руками и замер. Голова его ушла в поднятые плечи, и грива кудрявых волос казалась нелепой шапкой, оставшейся на обезглавленном туловище.

Она снова засмеялась:

— Подожди, не закрывайся! Я даже полюбила тебя тогда, уж очень много надежд было с тобою связано! Целая жизнь. Пришлось полюбить! Одно меня мучило: ты должен был уехать домой, а откуда я знала, вернешься ты или нет!

Он взглянул на нее и снова закрыл лицо руками.

— Но главное не это, — продолжала она, — главное, что я была беременна. Я ушла от Саши на третьем месяце. Я не сказала ему про ребенка, он ничего не знал. Я все думала: оставлять или не оставлять? Все никак не могла решить. Потом были эти две недели с тобой. Наконец ты уехал, и я пошла к знакомому врачу. Наверное, я неправильно посчитала, потому что врач сказал, что делать аборт нельзя, поздно. Он сказал, что у меня больше четырех месяцев. Я валялась у него в ногах, умоляла. Он не согласился. Тогда я поехала в деревню, недалеко от Твери. Мне дали адрес. Там старик один, в черной папахе, очень страшный, он все это делает. Без всякого наркоза. Пошепчет-пошепчет и режет...

Глаза ее стали огромными, блестящими.

— Не надо больше, — попросил Дэвид.

— Слушай! — прикрикнула она. — Молчи и слушай! О чем я? Да, этот старик... То, что он делает, называется заливкой. Он что-то заливает внутрь, шприцем вводит какую-то жидкость, и от этого — мне объясняли — ребенок погибает. А потом его тельце выходит наружу, и все. Я почти ничего не помню... Но ребенка я видела. Он был маленьким мальчиком, ужасно, ужасно маленьким. Старуха завернула его во что-то и унесла. Я у них пробыла часа три. Полежала с холодной грелкой. Потом они мне дали настойки какой-то, красной, как кровь, очень горькой. Я выпила ее, и боль почти прошла. Вернулась домой под утро. Саша ждал меня на лестнице, у него не было ключа. И когда я стала рассказывать ему, он занес надо мной кулаки. Вот так!

Она хотела показать как, но помешала капельница. Дэвид не отрывал ладоней от лица.

— Саша хотел убить меня, я знаю. Когда я все рассказала, он ушел. Я была уверена, что он не вернется. Но он вернулся. Он был весь мокрый, шел проливной дождь. У меня на столе стояла твоя фотография. Там, где ты с теннисной ракеткой, помнишь? Он взял ее и разорвал на мелкие кусочки. Потом спросил меня: «Это из-за него ты убила маленького?» И ушел. Больше я его не видела. Я встала и позвонила тебе. Мне уже было все равно. Я сказала, что люблю тебя больше всего на свете. И ты закричал в трубку: «Я тоже! Я тоже!» И сказал мне, что уже взял билет. Ну, вот. А дальше ты действительно все знаешь. Кроме одного: не было дня, чтобы я не вспомнила, что это из-за тебя я убила маленького. Но ты не виноват! Я просто хотела все изменить, все! От начала до конца! А ты был лучше всех, и поэтому я тебя использовала...

Дэвид вскочил и бросился к двери. Испуганная Лизи попыталась было остановить его, но не успела.

Женщина с золотистыми волосами, казалось, опять заснула. Лизи подошла к ней:

— Как вы себя чувствуете?

— Очень хорошо, спасибо, — не открывая глаз, ответила больная.

* * *

Ночью олененок почувствовал отца. Отец был совсем как живой и медленно брел по лесу, словно плыл сквозь деревья. Олененку хотелось догнать его и поплыть рядом, но — сколько он ни старался — расстояние между ним и отцом только увеличивалось.

Проснувшись, олененок увидел небо. Оно было полно звезд, и казалось, что, если подует ветер, звезды не удержатся на своих местах и упадут на землю, как листья с деревьев.

* * *

...Дэвид мчался не сбавляя скорости: девяносто миль в час. Когда они свернули в сторону океана и вдалеке показалась изгородь родительского дома, увитая жимолостью, она попросила остановиться.

— Мне, наверное, лучше сразу уехать, — сказала она.

Он не ответил.

— Что ты молчишь? Скажи что-нибудь!

— Да, — сказал он. — Но тебе ведь некуда ехать.

— Ну и что? — прошептала она. — Не об этом речь.

— Об этом тоже, — сказал он и добавил: — Я не думаю, что нам следует расставаться...

— А как же мы будем жить? — спросила она.

— Как живут остальные. Чем мы лучше их?

— Ты знаешь, что у нас не будет детей? У меня вырезали матку.

— Знаю. Это не так важно.

— Но я ведь противна тебе! Сознайся: противна?

— Нет, — сказал он, — не противна.

— Ты хочешь доказать мне, какой ты благородный?

— Я ничего не хочу доказать. Мне это безразлично.

— Безразлично! — вскрикнула она. — Тебе безразлично, что женщина, которую ты любил...

— Это не называется любовью, — сморщился он. — При чем здесь любовь?

— Господи! — разрыдалась она. — Зачем я рассказала тебе! Как хорошо все было!

— Зачем же ты рассказала? — спросил он, глядя в сторону.

— Не знаю, — прошептала она. — Убей меня — не знаю! Из меня клещами нельзя было вытащить и сотой доли того, что я тебе рассказала! Клещами!

— Знаешь, — сказал он, — я с самого начала боялся тебя потерять. Ты казалась мне слишком хрупкой, слишком беспомощной. Мне всегда было страшно: а вдруг ты умрешь?

— Я и должна была умереть, — глаза ее расширились. — Я почти умерла. Но ты знаешь, что-то произошло в самый последний момент.

— Что произошло? — не понял он.

— В самый, самый последний момент, — прошептала она, глядя неподвижно перед собой и дрожа всем телом. — Кто-то умер вместо меня. Я не могу объяснить, не спрашивай.

— Прости меня, — вдруг сказал он.

— За что? — удивилась она.

— За то, что я ничего не знал о тебе. Хотел жениться на кукле.

— Я уеду, — сказала она. — Освобожу тебя.

— Не надо, — сказал он. — Теперь это глупо. Все равно ни тебя, ни меня больше нет. Есть какие-то другие люди.

— Так что же? — еле слышно спросила она.

— Ничего, — сказал он. — Поедем домой.

* * *

За обедом были только свои, никаких гостей.

— Ростбиф? — спросил его отец и занес дымящийся кусок черно-красного существа над ее тарелкой.

Она почувствовала дурноту.

— Нет, — и сделала неловкое движение, словно хотела оттолкнуть его руку. — Нет, спасибо. Мне еще не хочется есть.

— Надо, надо, — усмехнулся отец. — И главное: мяса побольше. Ты потеряла много крови, нужно восстанавливаться.

ЛЯЛЯ, НАТАША, ТОМА

На эту фотографию я наткнулась почти случайно. Вообще, когда мы проходили таможню, я больше всего боялась, что тот белесый, с усиками, не даст мне провезти фотографии. Оставляла людей. Увозила лица. Оставляла могилы, увозила живых, замерших в потускневших изображениях: на крыльце с собакой, среди именинных бутылок, под пляжным тентом, в съехавшей соломенной шляпе, с детьми на руках и детьми на коленях...

Бабулина, маленькая, с успокаивающим взглядом, была у меня в кармане. Но белесый и альбом пропустил. Вытащил почему-то кончиком перочинного ножа мою детскую — худая, с выпирающими ребрами девочка на огромном коктебельском камне. Профиль с бантом, обращенный в небо, а там, где волны, чернильным карандашом: «Мичтаю о щастье». На эту фотографию он почему-то смотрел неоправданно долго, подозрительно. Потом аккуратно вставил обратно и альбом захлопнул. На лице мелькнуло: «Эх, была не была!»

Итак, я все это вывезла, всю глянцевую груду, и эту карточку... Господи, она совсем стерлась, но я понимаю, что на ней терраса нашей дачи, тогда еще не застекленная, и все это давным-давно, до моего рождения, но кушетку, похожую на таксу, я помню, а вот соломенный стол — нет, не помню, наверное, выкинули потом или подарили, а на незастекленной террасе они втроем: на кушетке мама и Ляля, а за соломенным столом — Наташа. На головах — венки из ромашек. И у моей мамы, обхватившей Лялю правой рукой, левая — на кошачьей голове, ибо кошка спит на ее коленях (знаю, что была до моего рождения розовая кошка Роза!), у моей мамы лицо грустное, как всегда на всех фотографиях, словно специально для того, чтобы я, ее почти не заставшая, ощущала, что ей всегда было грустно. Да, так и застыло: правая рука на Лялиной шее, левая — на розовой шерсти. На голове — венок из ромашек. Сбоку сирень, свешивающая темную зелень прямо на кушетку, на Лялины плечи, на мамину руку, на кошачью голову. А меня еще не было.

Война кончилась, они учились в институтах. Все в разных, но дружны были по-прежнему, как в детстве. Ах, конечно, жизнь все перемешивает, дворники роднятся с князьями, и все это прекрасно, но так случилось, что эти три девочки были из «бывших», и их тонкокожие хрупкие жизни чувствовали бессознательную опасность. Они знали, например, отчего Томина мама всю ночь соскабливала с синих тарелок золотую строчку «За веру, Царя и Отечество», когда забрали мужа рыжеволосой голубоглазой Ольги, которую за красоту звали Светиком, и знали они, отчего Наташин отец пил, пропадал на скачках и, наигрывая на гитаре цыганские романсы, говорил своей цыганке-жене, которую когда-то, в лучшие времена, выкрал из табора:

— Что сердишься, душа? Как деды мои жили, так и я живу, а на них, — тут он делал не совсем приличный выразительный жест, — ... хотел!

Она в ответ только туже заворачивалась в полустертую шаль и молчала, медленно затягиваясь длинной папиросой.

А Ляля, жившая в подвале с матерью, сестрой и двумя старыми девами тетками, вообще стеснялась на свете неоправданно многого: своей французской фамилии, картавого «р», теткиного пенсне, бедности, пасхальных праздников, которые, на бедность невзирая, мать ее справляла со старинной обильностью и приходивших девочек одаривала причудливо раскрашенными яйцами и вышитыми салфетками с голубками и незабудками. И был им знаком еще один, совершенно особый страх, изредка выражаемый еле произносимыми буквами «НКВД», серый и гнетущий, похожий на серое здание на Лубянке с остробородым жилистым памятником в длинной шинели.

Только Наташе и Ляле Тома могла сгоряча проболтаться, что отец никогда не называет Ленина иначе как сифилитиком, и сказала она это смутившись, шепотом, когда они втроем шли по Смоленской, возвращаясь домой в свои заваленные снегом переулки — Неопалимовский и Первый Тружеников, — шли быстро, насквозь промерзшие в тонких ботиках и вязаных платках. Им было почти семнадцать, кончалась последняя школьная зима сорок пятого года, и они только что отстояли длинную нелегкую очередь в Мавзолей, где он и лежал в гробу, под стеклом — весь сморщенный, желтый, как старый лимон. Сифилитик.

Через несколько месяцев, в прозрачный июльский день, они как-то особенно долго и радостно гуляли по лесу, купались в заросшем кувшинками маслянисто-черном лесном озере и неожиданно набрели на целое поле ромашек. Нарвали три огромные охапки, сплели венки, украсились ими и, вернувшись на дачу, застали там долговязого пожилого соседа со странным для мужчины именем Лёля, давно, глупо и безнадежно влюбленного в Тому, который тут же и сфотографировал их на не застекленной еще террасе.

А потом Наташа, в которой часто просыпалась ее цыганская кровь, воскликнула, глядя на веселые златоглазые ромашки:

— Ну, что? И куда их девать, эту гору? Поехали продадим!

И Тома радостно подхватила, а Ляля, как всегда, покраснела и согласилась. На привокзальном пятачке их ромашки расхватали неожиданно быстро, и только у Ляли еще оставались три букетика, когда он подошел — грузный, широкоплечий, в расстегнутой белой рубашке. Опираясь на костыли, он остановился перед ними, задержался глазами на длинноглазой, чернобровой Наташе — первой красавице всегда и везде: в школе, на улице, в музыкальном училище, — потом перевел их на кудрявую, огненно вспыхнувшую Лялю и сказал, лаская ее своим прищуренным властным взглядом:

— Почем цветочки?

Чувствуя, как раскаленная кровь заливает ее грудь, спину и плечи, опущенными глазами видя только его подшитую пустую штанину, она ответила вдруг охрипшим, не своим голосом:

— Рубль.

— Ну, давай два, чтоб никому не обидно, а то тебе тут стоять да стоять, погулять не успеем, — пророкотал он и дотронулся до ее руки большой ладонью.

Обратно на дачу они возвращались вдвоем, оставив ее с незнакомым одноногим мужчиной, который насмешливо и успокаивающе помахал им вслед, когда, удивленно оглядываясь, они уходили, а она оставалась.

Они тряслись в электричке, подставив волосы теплому вечернему ветру, электричка с грохотом останавливалась на тускло освещенных дощатых перронах, пахло жасмином, стрекотали ночные цикады, они подставляли лица свистящему в открытое вагонное окно ветру и не понимали еще, что вот оно, начало.

Гранитная лавочка была влажной от недавнего дождя. Сели, и он сразу обхватил ее правой рукой и сжал так крепко, что она испугалась: а вдруг образуются красные пятна? Но промолчала, а он, все крепче и крепче сжимая это тонкое плечико, левой свободной ладонью повернул к себе ее лицо и стал неторопливо разглядывать его, как разглядывают картинку в журнале.

— Значит, Ляля? Это что же — Ольга или Елена? А фамилия почему французская? С Наполеоном в Москву въехала? Да ты расскажи мне, не бойся...

И, понимая, что никакой ее рассказ не нужен ему, она прошептала все-таки несколько бессвязных слов, извиняя свою французскую фамилию, и, не закончив, вздрогнула всем телом, почувствовала прикосновение его пальцев к своей груди, там, где была расстегнута темно-зеленая вязаная кофточка.

— Ты знаешь, она сошла с ума! Просто потеряла рассудок! Она же ему дышать не дает! Встречает у проходной каждый вечер! Каждый! Я уж не говорю, что она его кормит, из дома таскает почем зря! Ирина Августовна все видит и молчит. И Муся молчит. И Полина. Они ведь всегда все молчат. Или плачут. Я ей вчера позвонила почти в двенадцать. Ее не было. Я думаю, она не ночевала дома, она у него была. Я просто чувствую! Ну, Томка, ну, что ты молчишь?

— Я не молчу. Она не ночевала дома, я знаю. Она в три часа ночи пришла к нам. Пешком. С Шаболовки. Он ее выгнал.

— Что-о-о?

— Да Господи, выгнал, и все! Он пьян был. Совсем. У него было отвратительное настроение. Он сказал, что она ему больше не нужна. И она рыдала, как... Я тебе передать не могу, это какой-то кошмар! Ввалилась к нам ночью, распухла, дрожит, сказала, что он ее выгнал, а ей без него — только в пруд. Да, в пруд. Или в речку. И мама ей говорит: «Да он же ведь зверь, пьяный зверь! Что ты в нем нашла?» А она, как Жанна д'Арк: «Я этого слышать не хочу! Вы не должны так говорить!» Ты же помнишь, как она летом самовар одна на спор выпила? Чуть не лопнула! Вот и сейчас: лопнет, а никого не послушает!

— Ты думаешь, он не женится на ней?

— Нет, я-то как раз думаю, что женится. Где он еще такую дуру найдет?

Рядом с кроватью валялись его тяжелые костыли с железными заклепками. Тяжелым сонным взглядом он следил, как она порывисто двигалась по комнате, подбирая разбросанные вещи, смахивая пыль, наливая горячую воду в таз для посуды.

— Канарейку покорми, — сказал он и закурил.

— Канарейку? Сейчас!

И защебетала, заворковала рядом с круглой железной клеткой, в которой заливалась, не щадя своего звонкого горла, черноглазая канарейка.

— Как ты по ночам, заливается. Только ей-то вроде не с чего, а? — усмехнулся он, разбивая дым ребром ладони.

Она опустилась на колени перед кроватью, светлую кудрявую голову вжала в подушку, задышала знакомым запахом его волос, его папирос, его кожи... Ленивая горячая рука с желтыми от никотина пальцами ущипнула ее за ухо, скользнула в вырез ночной рубашки. Она подняла умоляющее лицо:

— Мама просит, чтобы мы венчались, Коля...

...Остановись, говорю я себе, всё ведь это твое воображение, не больше... Была ли канарейка? Было ли венчание? Ладонями отвожу, как отводят воду, входя в нее, медля, не решаясь, ладонями отвожу вспенившиеся детали: вечернюю церковь на пересечении двух осенних улиц, невесту в платье, сшитом из тюлевой занавески, жениха, слегка хмельного, с орденскими планками на груди, тетку в заплаканном пенсне, в лиловом шарфе, отвожу ладонями. Устала. Белая страница под руками.

...Остановись, говорю я себе. Что же было на самом-то деле? Что я помню?

Снег, как всегда снег — главное действующее лицо всех воспоминаний моих, и я иду все по забеленной до самых липовых бровей Девичке, посреди которой стоит светло-розовый насупленный Лев Толстой, заложивший огромные каменные руки за пояс, а навстречу мне подпрыгивает пожилая женщина в потертой шубе. Со дня маминой смерти я видела ее раза четыре, не больше, и теперь ужасаюсь, как она постарела. Я не могу сказать ей «Ляля», но, кажется, не помню ее отчества. Елена?.. Поравнявшись со мной, она ахает, обхватывает меня своими серыми заштопанными варежками (в одной из них что-то звякает: ключи, мелочь?) и, прижавшись лицом к моему воротнику, плачет.

— Сегодня маме приснился странный сон. — Наташа удивленно приподняла брови и продолжала, понизив голос: – В нашем доме ведь на снах все просто помешаны. Отцу все время снится одно и то же: он запарывает лошадь, а потом хоронит ее ночью, один, на самом краю вымершей деревни. Но я не об этом. Мама рассказывает: «Приснилось, что в нашем книжном шкафу живет змея. Небольшая, черная. Глаза какие-то злобные, почти человеческие. И живет она посреди книг, между Аксаковым и энциклопедией...»

Тома засмеялась. В печке хрустели дрова. Из красных и ярких становились сизыми, черными, догорали. Они сидели на диване и грызли сушки. Кошка спала, свернувшись клубочком.

— Да подожди, не смейся. Я сначала тоже смеялась, а теперь вот эта глупость не выходит у меня из головы. Ну вот. Живет змея, которую мы почему-то не кормим. Непонятно почему, если отец даже мышей на кухне готов кормить сахаром, дай ему волю. А эту мы не кормим, и она тает на глазах. И вдруг мама просит, чтобы я дала ей молока. И мы будто бы все ужасаемся, как же это раньше никому не приходило в голову: дать змее молока, подкормить скотинку. И мама протягивает мне молоко и говорит: «Поставь прямо на книгу и сразу уходи». И я подхожу с молоком, и мы обе с мамой видим, как эта змея, еле живая, лежит, придавленная томами, а глаза закрыты. Но только я ставлю перед ней блюдечко, как она распрямляется и бросается на меня с высунутым жалом. В лицо!

— Господи, страсти какие! — Тома опять засмеялась. — И что?

— Тебе все хихоньки... — Но она и сама смеялась, будто, рассказав, преодолела страх. — Ну и все. Мама проснулась в слезах и весь день ходила сама не своя. Вот посмотрите, говорит, это не к добру!

Беда в том, что она была красавицей. А я с детства запомнила: красота до добра не доводит. Из всех слышанных мною рассказов выходило примерно так: она была добра и прекрасна. Иногда бабуля добавляла: «Ну просто Анна Каренина!» А он был или некрасив, или очень ординарен. И вот она любила, а он нет. Другие из-за нее стрелялись, вешались, на коленях ползали, но ей никого не нужно было, кроме этого, который не стрелялся, не ползал, а только мучил. Она плакала, и все, кто любил ее, тоже плакали и упрашивали: «Брось! С ума ты сошла, что ли?» А она отвечала: «Нет, никогда».

Такая вот картина сложилась в моем шестилетнем сознании, так я и рисовала цветными карандашами на шершавой альбомной бумаге: она в необъятно широкой юбке, с золотыми волосами до пят протягивает руки к нему, длинноносому и усатому, во фраке пушкинских времен. Сбоку дерево с зелеными листьями. Наверху солнце с лучами веером. Всё. Картина жизни. Картина любви. Ее, мою альбомную красоту, неизменно звали Наташей, хотя настоящая Наташа была черноволоса, да я ее практически и не видела. Но бабуля, рассказывая мне о ней, всегда добавляла: «Несчастная, боже ты мой! Но как хороша! Как прелестна! Красавица».

Молодой человек с небольшим шрамиком над верхней губой, в дорогой пыжиковой шапке нетерпеливо сбивал перчаткой снег с подножия памятника Чайковскому. Настороженный и готовый улететь со своего мраморного пьедестала Чайковский наматывал на пальцы вскинутых рук печально-прекрасные русские песни и не обращал внимания на суетливого воробья, прыгающего по его промороженной голове.

— Неужели я опять опоздала, Виталий?

Он резко обернулся на этот взволнованный голос. Белый платок, сверкающий от снега. Сверкающий снег на черных волосах. Высокие брови, мокрые ресницы. Да, красавица. Бедна, как героиня Достоевского. Он прочитал пару этих романов и нашел их приторными. Но семейка из Неопалимовского подошла бы прославленному эпилептику. Колоритная семейка, что говорить! Одна мамаша в полуистлевшей шали чего стоит! Да и папаша недурен. Бархатный барин. Собачник, лошадник. Ему бы в перезаложенном имении зайцев травить, а он сидит за печкой да водочку тянет. Колечки в ломбарде, баккару побили. И сами — осколочки! Зачем только небо коптят? «Расскажите мне, молодой человек, где же вы с моей дочерью познакомиться изволили?!» Театр, и только! Так и подмывает подмигнуть: «Я, дядя, с твоей дочерью познакомился в трамвае и теперь с ней...» Эх! Нет, честно говоря, еще нет, подождем малость, пусть привыкает. Цыганская косточка, виноградинка черная... Подождем, слаще будет. Но ты так и знай, папаша, я с твоей дочерью спать буду. И вся красота эта снежная — наша. А там поглядим.

И, засмеявшись, сказал, пожимая ее протянутую теплую руку:

— Вас я готов ждать всю жизнь, Наташа.

Отец подливал и подливал из синенького графинчика. Оттопыренный мизинец с длинным полированным ногтем мелко вздрагивал. Наигрывая гаммы, она из полутьмы своей маленькой комнаты слушала родительский разговор. Не разговор, монолог скорее, ибо мать, как всегда, только вставляла свое гортанное «а-ах!» в редкие паузы отцовской речи.

— Что мы о нем знаем? Что ты о нем понимаешь, душа? Хлюст, хлюст и хлюст. Так я понимаю. *Их* человек. Я ноздрями, — и он шумно втягивал воздух, — ноздрями эту породу чую. Бес. Мелкий бес. Не крупный. Что молчишь, душа? Я его взгляды на ней, — звякнул синенький графинчик, — ненавижу. Не-на-ви-жу! Он же ее глазами раздевает! А я присутствую. Разве, ты вспомни, разве я на тебя так смотрел когда? Мне до твоей косы дотронуться было страшно. А эти? Ненавижу! Мы к девкам приходили, и уж не гимназистами, уж ку-у-да-а позднее! А глаза опускали. Ибо совесть была. Стыд. Жгло. А их ничего не берет. Бандиты. Что молчишь, душа? Меня опять ночами кошмары терзать стали. Намедни приснилось, что он у нее пальцы отгрызает. Она играет, к концерту готовится, а он подходит и наклоняется, вроде бы руку поцеловать. И вдруг я вижу — кровь...

Гортанное материнское «а-а-ах!».

Бабуля рассказывала так:

— Он увез ее в Германию. Она была уже беременна. Он женился на ней, потому что по его положению полагалась жена. Мы с твоим дедом всегда думали, что он чекист. Она поначалу говорила: военный. Посылают в Германию служить. Мы ни разу не видели его в военной форме. Только в штатском. И всегда был прекрасно одет. Выбрит. Все с иголочки. Она пришла к твоей матери и сказала ей, что ждет ребенка. Она его боялась, и ехать с ним боялась, и рожать боялась. Такая красавица! И уехала.

...Итак, она пришла к моей маме. Она постучала кулаком в дверь (звонка не было!), она постучала кулаком по рваному войлоку, и мама открыла ей.

— Тома, — сказала она, — я закоченела, пока дошла. Март называется! Дай мне чего-нибудь горячего. Чаю. Или просто воды.

На улице было тепло. Снег таял, плавились сосульки. Зима умирала на глазах, исходила слезами, цеплялась последними колючками за воротники, прощалась. Никому не было дела до нее.

— Как ты могла замерзнуть? Теплынь такая! Я все форточки открыла! Пойдем на кухню, чайник поставим!

На кухне с деревянным крашеным полом и до блеска вымытым фикусом на подоконнике шаркала тапочками Матрена, древняя старуха, жившая прямо напротив уборной в скрюченной комнатушке, увешанной бумажными иконками и уставленной сундуками. В плохую погоду она дремала у себя на сундуке на куче тряпья, а в хорошую нищенствовала на Ваганьковском. Матрена въедливо посмотрела на них из-под лохматых седых бровей:

— Никак ты, Натулька-красулька? А чевой-то ты пожелтела вся?

Мама стала было резать серый вчерашний хлеб, но Наташа остановила ее руку:

— Тома, я не хочу есть. Ничего мне не давай. Просто чаю выпью. Я не могу есть. Меня тошнит все время.

И тут она рассказала ей все. Я отчетливо слышу, как она рассказала ей все, и про ребенка тоже. А мама прошептала:

— Брось его. Что ты, с ума сошла?

— Как же я его брошу? Я без него дышать не могу. Нет, ты пойми, ведь это не любовь. Я ведь его не люблю. Каждый день думаю: ни за что к телефону не подойду! И подхожу как миленькая. Не хочу его видеть, а бегу. Боже мой! Всё, теперь уже поздно. Его посылают в Германию работать, и я поеду с ним. И там рожу. Здесь-то стыдно: родить через шесть месяцев вместо девяти, правда? Свадьбы никакой. Я не хочу, и он не хочет. Только мы, родители и ты. И сразу уедем. Если бы ты знала, как я его боюсь! А стесняюсь как! И когда он раздевает меня, и когда рассматривает. У него было очень много женщин, я знаю.

— Он тебе говорил?

— Да. Смеясь причем. Он сказал: «Забавно: все бабы в темноте белые, а ты коричневая».

И тогда мама заплакала. Она заплакала не от жалости и не от страха за Наташу, а от того невыносимого напряжения, которое передалось ей, разлившись поначалу вишневой краской по Наташиному лицу, надломив — ровно посредине — высокие ее брови. Мама плакала, а она, с надломленными бровями, стиснув пальцы, сидела неподвижно. Потом прошептала: «Подожди, меня тошнит» — и выскочила. И мама, растерявшись, выскочила за ней и, замерев у двери уборной, услышала, как она давится там, гортанно, как ее цыганка-мать, постанывая: «А-а-ах...»

На столе, покрытом пожелтевшей скатертью, раскинулось небывалое богатство: полупрозрачная огненная семга, черная икра, сыр с длинными аккуратными дырочками, тающий во рту белый хлеб. Отец, как всегда, подливал и подливал из синенького графинчика. Жених казался слегка раздраженным, жадно ел, словно желая, чтобы вся эта им принесенная роскошь ему же и досталась, мать, кутаясь в шаль, расплетала и заплетала кончик неподколотой косы темными пальцами.

— А позвольте мне поинтересоваться, Виталий, — отцовский мизинец с отполированным ногтем сильно дрогнул. — Где такое богатство добывается? Какие такие подземные дворцы его прячут?

— А вам зачем? — Он пережевывал семгу и отреагировал не сразу.

— Мне? Мне-то, конечно, ни к чему. Праздное любопытство. Да ты не тревожься, душа, — прибавил он, поймав брошенный на него знакомый взгляд. — Я ведь мирный вопрос задал. Наимирнейший. Как близкий, так сказать, родственник. Хотелось бы приподнять одну таинственную завесу...

— А нечего приподнимать, — резким движением головы жених ослабил слишком тесный галстук. — Работали люди, воевали. Жизнями рисковали. Ну и пользуются заслуженно. Пока живы. Все ведь, знаете, из мяса да из костей сделаны.

— Ах вот что! — И звякнул синенький графинчик, и быстрее задвигались заплетающие косу темные пальцы. — Рисковали и заслуженно пользуются? А я вот, знаете, по улицам не могу ходить. На обрубки человеческие не могу смотреть. На славных этих, так сказать, героев: летчиков, да морячков, да танкистов, которые теперь на деревяшках милостыню выпрашивают. И ведь подают-то не все. Прямо скажем — немногие подают, обеднели люди. А пуще сердцем обеднели. Больно страшно жить стали. Я опять-таки обе стороны охватываю: практическую и духовную, так сказать, я...

— Да что вы раскудахтались: я, я, я! Легче всего за печкой сидеть да водку жрать! Обрубки... Построят им инвалидные дома, будут жить-поживать. Не всё сразу. А ходить да вражьим взглядом недостатки высматривать — последнее, скажу вам, дело! И мой вам совет: вы это бросьте! А то ведь, не ровен час, и реснички подрежут!

— Вы, голубчик, — звякнул синенький графинчик, — вы на что же намекаете? На Большой Дом, что ли? Да я уж свое отбоялся. Уж, почитай, тридцать лет зубами стучу — сколько можно? Или вы на меня прямо со свадьбы доносить пойдете? Вольному воля! Да не бледней ты, душа! Что он мне сделает? Уж хуже того, что сделал, вряд ли придумает!

Жених встал. Томе показалось, что он взвешивает ситуацию. Кроме него, за пожелтевшей скатертью было четыре человека. Ситуация, в сущности, безопасная.

— Ну, хватит, попировали. Заеду за тобой на машине перед самым вокзалом. Чтобы готова была, шофер ждать не может. А с вами, дорогие родственники, прощаюсь сейчас с болью в сердце...

Перекинул через руку светлый плащ, хлопнул дверью. Все молчали. И тогда мать, бросившая свою косу, встала, подошла к неподвижной, пронзительно белой Наташе, прижала ее голову к своему животу и прикрыла ее шалью...

— А вот это, — говорит бабуля и вынимает из папиросной бумаги большую фотографию, — это она прислала нам из Германии. Да пей, пей молоко, а то никогда горло не пройдет! Пей, пока горячее, рада в школу не ходить! Смотри: это Наташа с дочкой. Ей здесь полгода. Анечка. Назвала в честь своей матери.

Одна уехала и родила дочку. Другая была близко, но встречи с ней стали сущим мучением. Она забегала ненадолго, всегда испуганная, с красными пятнами на круглом лице, целовала их всех по очереди: Тому, Томину маму, кошку — и начинала плакать. Самое ужасное — она ничего не рассказывала. Вернее, по рассказам получалось, что все в порядке. Пьет? Да, немного. Меньше, чем раньше. Жалуется на сердце? Нет, больше не жалуется, Полина вылечила его гомеопатией. Любит ли ее? Круглое лицо принимало снисходительное выражение. Очень любит, но какой же мужчина, да еще прошедший войну, скажет об этом? Вот неделю назад умерла канарейка, захлебнулась, с канарейками это бывает, и он плакал. Пил и плакал. Потом, когда бутылка кончилась, сказал: «Поди выброси ее на помойку».

— Ну, а ты?

— Что я! Я говорю: «Колечка, может быть, закопаем?»

— А он?

— Что он? Рукой махнул.

— Тогда что же ты плачешь?

— Разве я плачу? Просто рассказываю...

Тома и огорчалась, и хотела помочь, но сама была при этом непростительно счастлива. Грустно: мы никогда не совпадаем в счастье с теми, кого любим. Мы счастливы в одиночку и так же, в одиночку, несчастны.

— Они так счастливы вместе. Разве вы не знаете, что такое любовь? — ласково говорила моя бабуля тупо глядящему на нее краснощекому участковому.

Участковый зарделся ярче и руки огромные — ковшиком — сжал на коленях. Разговор происходил утром на фоне отмытого до блеска вечнозеленого фикуса. Они сидели на табуретках друг против друга: моя бабуля, остроглазая, грациозная, и молоденький милиционер, пришедший выяснять, на каком основании в доме 4, квартире 4 по Первому Труженикову переулку проживает жилец с фамилией, которую выговорить невозможно: Штапинец? Штанимец? Штанец?

— Да, — говорила моя бабуля, светло улыбаясь и первый раз чувствуя, что представитель страшной власти не так страшен ей, как обычно. — Вы совершенно правы. Выговорить невозможно. Только по складам: Шта-й-н-мец.

— Эк, — крякнул милиционер. — Штан... Чего?

— Не Штан, — любезно поправила бабуля, — а Штай, а потом пауза и — нмец. Штай-нмец! Ну, попробуйте!

— Штам... — нерешительно сказал участковый, — йец!

— Ну вот! Ну почти! — просияла бабуля. — Да это и неважно, правда? Так вы согласны со мной? Любовь, понимаете? И хотят быть вместе. Так что же им делать?

— Мы ведь почему беспокоим, — доверительно пробасил милиционер. — Потому как беспорядок намечается. Вместе-вместе, а паспорта врозь. Когда кого любишь, у того и прописывайся, правильно говорю?

— Ну, еще бы! — обрадовалась бабуля. — Еще бы! Кто спорит? Да он и пропишется. Сначала они распишутся, а потом он пропишется. Ведь такой порядок-то?

— Да как же вы его к себе нерасписанного взяли? — ахнул милиционер. — Да моя матка так бы погнала нерасписанного, кабы к сеструхе кто прилепился! А вы ласкаете... А ну как он завтра слизнет?

— Не слизнет, — прошептала бабуля и оглянулась на хмурую Матрену, подбоченившуюся в дверях уборной и смахивающую на растрепанную Бабу-ягу. — Этот не слизнет. Любовь, понимаете?

Нерешительно потоптавшись, участковый дал две недели сроку и ушел. Тут Матрена не выдержала.

— Последние мозги потеряла! — гаркнула она и ударила клюкой об пол. Фикус вздрогнул. — Я тебе прямо скажу, я не Катька-стерва, вилок серебряных у тебя не крала! Я тебе, Лизавета, как на духу говорю, обрыдло мне на это глядеть! Девка — лебедь, и чтоб за яврея иттить! Да, мать его в качель, за женатика! К ним, к поганым, нешто в душу влезешь! Понапилися христьянской кровушки!

Не успела, не успела — через тридцать пять лет слышу! — не успела моя бабуля достойно ответить Матрене, потому что тут-то он и появился на кухне — кудрявый мускулистый «женатик» с отчетливо выраженным семитским лицом, стесняющийся и голубоглазый. Он вышел умыться и долго плескался под ледяной водой, и кудрявую темно-русую голову окатил заодно, и весь свежекрашеный пол с разлапистой фикусной тенью обрызгал.

— Тьфу на вас! — плюнула Матрена и скрылась к своим сундукам и бумажным иконкам.

А солнце возликовало окончательно и принялось сжигать своим августовским огнем синий эмалированный таз на табуретке, и растрепанный веник под раковиной, и маленькие бабулины руки, подтирающие пол...

«Всех спровадили! — сказала она самой себе и засмеялась. — И Емелю в погонах, и нашу ведьмулю...»

...Здесь, в Новой Англии, осень прекрасна.

Я иду и смотрю под ноги. Иду медленно, усталая, раздраженная, с работы. И вдруг, взглянув на противоположную сторону улицы, останавливаюсь. Стою и смотрю. По противоположной стороне идут мой отец и мой сын. Они явно торопятся и на ходу ведут оживленный разговор. Сын от возбуждения (а разговор, скорее всего, самый примитивный: о машинах!) забегает вперед и заглядывает деду в лицо. У них одинаковые походки, они одинаково двигают на ходу руками. И как это всё называют? Наследственность?

И тогда, тридцать пять лет назад, тоже была осень. Медленно догорающим, как полено в печи, вечером они ехали на дачу, и, омытые лиственным золотом, сверкали за окном деревья, и торговали жареными семечками на дощатых платформах, и врывалась в паровозный гудок взвизгивающая гармошка, растягиваясь вместе с ним в красном воздухе тревожным и сизым дымком. Народу в вагоне было немного. Вдруг она увидела, как он бледнеет. Он бледнел и зажимал ладонями верх живота — солнечное сплетение.

— Что ты? Что с тобой?

— Мне больно. Вот тут. О-о-о!

Он скорчился на лавке, и крупные капли пота выступили на его лбу под тщательно причесанными темно-русыми волосами.

— Но только не бойся. Сейчас всё пройдет. Сейчас будет проходить.

Акцент его стал особенно заметен, и прямо на ее глазах он превратился в того испуганного еврейского подростка, которым она видела его на полустертом снимке с карандашной надписью по-немецки: «Седьмая гимназия на улице Императора Вильгельма. 6 класс».

— Легче тебе? Легче? — всхлипывала она, вцепившись руками в его судорожно сведенные колени.

— Легче, да. Не надо волноваться. Видишь, почти прошло. Я тебе не говорил. Это всё началось два месяца назад, когда он запрещал мне видеться с мальчиком. Я ходил по Ульяновской, и мальчик смотрел на меня из окна. Я уходил. Мне надо было идти к нему обратно, но я не мог. Я уходил к нам домой, к тебе. И он смотрел мне вслед. И когда я ехал на троллейбусе, это началось. Так всё вдруг свело! Чуть доехал. И потом второй раз, помнишь, когда мальчика забрали со скарлатиной? Она позвонила и сказала, что я могу проводить его. Я побежал. И я не успел. Они уже уехали. Я примчался на такси в эту больницу —

как ее? — на Серпуховке. Они еще были в приемной. И мальчик бросился ко мне. Он весь дрожал. В ужасной рубашке. И здесь вот клеймо. Дед внушил ему, что я сволочь. Я сволочь, потому что не могу жить с его матерью. А я не сволочь! Не сволочь!

Он произносил это слово с еще большим акцентом, чем все остальное, и с помощью этого грубого слова (а грубость в чужом языке всегда чувствуется меньше!) настаивал на своей смутной правоте.

— Я не встречал деда в больнице. Он был в синагоге. Так она сказала. Он бы не дал ей позвать меня. А мальчик дрожал. И весь так прижался ко мне. И эта женщина — как ты их называешь? — нянечка, отобрала его и увела. И он вырвался и опять бросился ко мне. И я его опять обнял. И его опять увели. Он кричал: «Папочка!» Я отвез ее на такси домой, и, когда шел обратно, эта боль опять началась. И вот опять. Я звонил туда сегодня. Они положили трубку. Но я хочу видеть ребенка! Тома! Это такая сволочь — боль!

Она гладила его мокрый лоб, бормотала:

— Потерпи, сейчас. Сейчас пройдет. Еще немножко. Это нервы. Давай выйдем в Мытищах. Это просто нервы, не бойся.

Желтоглазая старуха с котомкой приостановилась в проходе:

— Парень! Никак родить собрался? Ишь закрутило-то! В больницу ведь надоть!

В Мытищах он, закрыв глаза, глотал горьковатый от паровозного дыма осенний воздух и повторял, сжимая ее пальцы:

— Я не сволочь, не сволочь, не сволочь...

Раскаленный шар катился по хрустящему снегу Первого Труженикова. Раскаленным шаром была жизнь, перемалывающая, переплавляющая, расплющивающая глаза, слова, руки, губы, правоту и вину, восхождения и провалы — всё, из чего складывались в ней дни, часы и минуты, всё, что составляло ее огнистую обжигающую плоть, ее абрикосовую мякоть, прыгающую по выпавшему ночью снегу Первого Труженикова.

Там, где эта плоть кровоточила, были полные ужаса глаза его ребенка в длинной, до пят, ночной рубашке с клеймом посредине, его крик, разлитый чернильным пятном по белому, пахнущему хлоркой больничному коридору: «Папочка!» Там был сухой, пылью забивающий дыхание голос его бывшего тестя: «Он вам не нужен. Не приходите сюда больше». Там, где кровоточило, был наскоро собранный чемодан и уход. А там, где она, эта плоть, становилась спелой абрикосовой мякотью, где она сладко растекалась по нёбу, по горлу и глубже, глубже, пока не обжигала все нутро одним не вмещающимся в тело, пульсирующим счастьем, там был ласковый голос по утрам, и теплые каштановые пряди на его плече, и теплые плечи с розовыми шелковыми бретельками, и эти шутки, и взрывы задыхающегося смеха за вечерним чаем под мирным светом оранжевого абажура...

Иногда он наивно удивлялся, что в доме под оранжевым абажуром над жизнью все время подшучивают.

— В кухню не ходите, там профессор сел лекцию читать, — говорил ее отец, щурясь и еле заметно усмехаясь в усы.

Это значило, что татарского происхождения дворник Сашка, живший в смежной с Матрениной комнате вместе со своей богатырского роста ревнивой женою Катюшей, за брак с которой его прокляла вспыльчивая восточная родня, опять сел парить ноги и читать ежевечернюю «Правду».

— Подлей, Катюш, еще, — задумчиво говорил маленький, багровый от жара Сашка, перебирая распаренными ногами в ведре с кипятком. — Холодеет, сука, быстро. Никак тепла не наберу. Ну, слушай дальше про пленум.

Дальше начиналось монотонное чтение по складам:

— Пос-та-нов-ле-ни... поста-нов-ле-ние па... постановление пар... ти... постановление пар-тии, подлей еще, Катюш, не жидись, поста-новле-ние партии о на-ру-ши-те-лях...

— Ирод, — любовно бормотала Катюша. — В лютом кипятку сидишь да газеты читаешь! Глаза-то попортишь! С пару ничего не видать! Ай оглох?

Медленно шел снег, и, распаренные не хуже Сашки, они поднимались в гору из кирпичной сплющенной баньки к себе, на Первый Тружеников.

— Ты думаешь, я случайно просидел всю жизнь в этой дыре? С женой и дочкой? Ни разу не заикнулся о квартире, ничего не попросил? Не завел ни одной новой дружбы? Не выпил больше двух рюмок в чужой компании? Я боялся их и боюсь. Но на себя-то, в сущности, наплевать, судьбы конем не объедешь, а Лизу с Томкой надо было спасать. Я и спас, судя по всему. Ломал себе голову: как? что? куда деваться? И придумал. Залез сюда, в эту нору, как в варежку, ни разу наружу носа не высунул! Кому я нужен? Скромный юрисконсульт. Маленький чиновник. Акакий Акакиевич... Вот так. Мало ли чего мне там хотелось! Что толку сейчас вспоминать? А сколько моих полетело! Жить хотели, на свет их тянуло! А на свету... Головы, как спелые яблоки, сыпались. Мне по ночам прежде снилось, что за мной пришли. Даже не то чтобы снилось, а так, знаешь, мираж какой-то. Галлюцинация. Видел, как меня уводят. И я ухожу, но в дверях оглядываюсь. И у печки стоит Томка, лет так тринадцати, в спортивных трусах и майке. И я понимаю, что вот это — всё. Что этого не пережить. Часто так галлюцинировал. Боялся иногда спать ложиться, свет гасить. Как ты понимаешь, болезнь, но ведь с такими симптомами ни к одному врачу не пойдешь. Потом как-то само прошло. Что говорить... Единственное, что себе позволил, — дачу. Продал Лизино изумрудное колье и выстроил дом. Ну пойми: не мог устоять. Очень хотелось. Все, что они у меня отобрали, я взял и вернул. Схитрил только малость. Не имение, так домик с садом. Не беседка с мавзолеем, так лавка с жасмином. А лес — всюду лес, и поле — всё поле. Я после этой норы, где Сашка вечерами потные ноги парит, еду к себе домой. Там вишни. Крапива. Там птички на ветках. Вот родит Томка дочку, и я буду с ней по лесу гулять. Грибы собирать. Красотища!.

И худощавой рукой провел по древесному стволу, сверкнувшему белыми искрами.

Ночью она его разбудила:

— Прости, пожалуйста, никогда не буду тебя тревожить. Последний раз. Я не умру? Мне вдруг так страшно стало. Умру, и ты останешься с маленькой девочкой. Один. И тебе придется жить без меня. Матрена будет на нее клюкой стучать.

Она смеялась, но щеки и грудь были мокры от слез.

— Что ты глупости говоришь?!

За стенкой стонуще храпела Катя. По потолку плавно прокатился свет от машинных фар.

— Нет, не глупости, не сердись. Я знаю, что это случится. Меня нет, и ты один, с маленькой девочкой...

— Посиди, — говорит мне папа и расстилает на маленькой, припорошенной снегом скамеечке свой полосатый шарф. — Я наберу воды, и мы эти цветы поставим. Тогда они будут стоять дольше. Дня четыре не завянут.

— Папа, — спрашиваю я, внимательно разглядывая розоватый камень с тонкой золотой надписью. — Папа, а она — где? Она видит нас? И эти цветы тоже видит? И то, что я тут сижу?

— Да, — произносит он твердо. — Да, она все видит. Все видит и знает.

— Но как? — удивляюсь я. — Как? Где же она?

— Она же наш ангел. Ты ведь знаешь, что это такое? Так вот. У нас с тобой ангел — она.

Я не все понимаю в его словах, но принимаю, как и многое другое, на веру. И пока он набирает из колонки воды в мутно-желтую большую банку, а потом протирает мокрой тряпкой памятник, я смотрю на небо, вижу его прохладную голубизну, вижу его слабое, подтаявшее по краям облачко...

— Ну пойдем, — говорит папа. — А то ты замерзла. — Он обматывает шею полосатым шарфом и, пропустив меня в низенькую железную калитку, наклоняется, целует этот холодный розовый камень и медленно проводит по нему ладонью, прощаясь.

По пятницам Матрена пекла блины. Чаще всего они подгорали, и в кухне было дымно, не продохнуть.

— Да поешь, поешь, пока горяченький! — пела Матрена. — Ишь пузырится! Сама не хошь, так ребятеночка свово покорми. Када рожать-то? Вот родишь, так мы яво, кудрявого твово, поглядим! Как ребятенок народится да как начнеть по ночам пищать, тут из них, из мужиков, вся поганая порода наружу вылазит! Вот тада мы поглядим, как он тебя любить...

В дверь застучали. Заколотили. Неистово.

— Кого нечистая несеть? Никак опять татарва надрамшись? — изумилась Матрена и, шмыгая носом, пошла открывать.

Сначала в образовавшуюся щель просунулся угол ободранного черного чемодана, а потом над ним запрыгало круглое, распухшее от слез лицо.

— Томочка! Он меня выгнал! По-настоящему. Томочка!

Ляля опустилась на табуретку прямо посреди этого кухонного дыма и чада и зарыдала так, что даже Матрена всплеснула руками.

— Ради бога, пойдем в комнату! Да не кричи ты так! Лялька, я сейчас к нему поеду! Да не кричи ты! Ну, он тебя сто раз выгонял! Да успокойся ты! Подожди, я хоть валерьянку найду! Господи, вот и мама пришла! Побудь с ней, видишь, что творится? А я на Шаболовку и обратно!

Накинула вязаный жакет, уже не застегивающийся на животе, вылетела, задыхаясь.

Он встретил ее, непохожий на себя. Спокойный и трезвый.

— Зачем прибежала, Тамара? Гляди: еле дышишь. Что скажешь?

— Коля, ты ведь хороший человек! Я всегда чувствовала, что ты хороший! Что у вас случилось?

— Ну что я тебе расскажу? Зачем было с пузом ко мне прибегать? Еще б родила по дороге, вот смех-то! Вот ты мне поёшь: «Коль, ты хороший!» А я? Какой я хороший? Ну, ем я. Ну, водку лакаю. Ну, сплю. Ну, баб своих лапаю, чтоб не обидно. Чего ж тут хорошего? Что говорить?

— Миленький, ну пожалей ее!

— Да я не могу, ее, Тома, жалеть! Мне трудно с ней стало, хорошая слишком! Ну что? Ну, ошибся! Словил себе канареечку, принес домой: живи со мной, милая, песенки пой мне! Она ж щебетунья, она ж ручеечек! А ласки в ней, Томка! До слез иногда. А только нельзя, дальше хуже. Детишек ей надо, гостей там, подруг. А мне что? Бутылку да к ней огурец, вот и всё. Хорошая парочка, а? Что молчишь-то? Топлю ведь ее. Она у меня пузыри тут пускает, во как! «Я, Коля, стерплю! Мне с тобой хорошо». Чего «хорошо»? Я, Тамара, не зверь. Пока совесть есть, я решение принял.

Она медленно спускалась по лестнице и думала: «Как же я передам ей все это?»

Рябина горела красной кистью. Да, горела. И листья падали. Я родилась двадцать первого сентября. Утром в деревянном доме напротив был пожар. Из окон вырывалось пламя. Шипела вода. А я хотела, чтобы этот мир принял меня, впустил, и болью, похлеще любого огня, трясла материнское тело. Через неделю меня приняла теплая комната в доме 4, квартире 4 по Первому Труженикову переулку, и суетливые мои тетки, дедовы племянницы, кричали папе:

— Не клади, не клади ее на одеяло! На мех надо! Чтоб была счастливой! Чтоб была здоровой! Чтоб была богатой!

Прыгающими от страха руками он положил меня на вытертую котиковую шубу...

— Пей, пей молоко! Пей, пока горячее! Наказанье мое! Хочешь, я почитаю тебе «Онегина»? А что ты хочешь? Опять фотографии будем смотреть?

Она прислала неожиданную телеграмму: «Возвращаюсь завтра восемь. Вагон шесть. Наташа».

Удивленные, радостные, они встречали ее после трехлетней разлуки. Отец сжимал в руках полуживые зимние цветы. Осторожно нащупывая ногой вагонные ступеньки, она спустилась к ним с девочкой на руках.

— Когда на следующий день она пришла к нам, — и бабуля незаметно опускает в мое горячее молоко кусочек масла, — я просто ахнула. Такая красавица! Анна Каренина. Еще лучше стала. Во всем заграничном. Ботинки, как сейчас помню, на толстой-претолстой подошве. Кофта с перламутровыми пуговицами. Волосы постригла. А какие были косы! Но ей все шло. Схватила тебя на руки и не отпускает. Несчастная! Господи...

Что она рассказала моей маме, когда они шли с ней по остекленевшей от мороза, белой Девичке? Откуда я знаю? Мне не было четырех месяцев, и я спала.

— Тома, я думала, что более чужих друг дружке людей на свете просто не встретишь. А вот теперь его нет, и мне, как Матрена бы сказала, выть хочется. Места себе не нахожу, спать не могу. Но дышится мне без него вроде и легче. Горечи такой нет. Не смотри ты на меня так, не ужасайся! Все равно я всё только тебе одной и могу рассказать. Сейчас расскажу. Даже не знаю, с чего начать. Приехали мы, меня тошнит. Голова все время кружится. Вокруг не город, кладбище какое-то. Все в черном. Дети бледные, вежливые, глаза опущены. Да и у взрослых опущены глаза. Он уходил в восемь, приходил в семь. При этом ни за что не хотел, чтобы я поддерживала отношения с этими — как их? — с женами... Чтобы ни-ни: сиди дома, не рыпайся. Никакой ни с кем откровенности! Ну, этому я и сама была рада, потому что эти жены... Они всё горевали, что мы поздно приехали. Поживиться нечем. Все гобелены по офицерским чемоданам растеклись. Все богатые дома уже разграбили. Так вот: я сидела одна. И так день за днем. Рвало меня очень.

Она вдруг осеклась. Медленно плывущий с неба снег забелил их головы в вязаных платках и неуклюжую голубую коляску, в которой я спала и ничего не слышала, ничего не понимала в этом засыпаемом снегом разговоре. Она молчала и слизывала снег с верхней губы. И тогда мама, розовая от холода, с повисшими на ресницах капельками, сказала ей:

— И дальше что? Что?

— Меня рвало, и я была совершенно одна. Он приходил вечером. Он очень изменился там. Стал каким-то каменным. Ел молча. Потом... — Она опять замолчала. Мама ждала со страхом. — Потом сразу в постель. Господи, чего он только не выделывал со мной! Я сначала ужасалась, потом привыкла. Меня затягивало, как в омут. Воля моя пропала. Когда я на следующий день вспоминала это, меня бросало то в жар, то в холод. И ведь ко всему этому я же Аню ждала! Утром вставала вся разбитая, вся в пятнах, но... как сказать? Не счастливая, нет, а какая-то словно огнем наполненная. Нет, не могу, не смотри на меня. Так продолжалось месяца три. Потом, когда беременность стала совсем уже заметной, он вдруг резко от меня отстранился. Ужинал, читал иногда — и спать. Даже не целовал. Это ему было безразлично. И вот родилась Аня. Мне стало сразу хорошо. Я первый раз почувствовала себя счастливой. И Аня, ты знаешь, она же невероятно похожа на маму, на мою маму, и это так чудесно, правда? Я как-то даже перестала обращать на него внимание. Вся принадлежала ей. А он — это дико, нелепо, но это всё правда, — он меня к ней ревновал. Ее кроватка стояла рядом с нашей. Среди ночи я вставала кормить. И пока я меняла пеленки, она, как все дети, попискивала. И я, ничего не подозревая, перекладывала ее на нашу постель, ему под бок. Поначалу он терпел. И вдруг взорвался. Он кричал, что достаточно устает за день, чтобы вкалывать еще и ночью, и если бы он знал, какую райскую жизнь я ему тут уготовлю, то точно оставил бы меня в Москве. Тогда я стала перекладывать Аню на кресло. У нас там было большое такое, вишневое. Это его тоже взбесило, потому что я так безропотно, понимаешь, безропотно, сделала, как он хотел, словно бы не сочла нужным с ним объясниться и этим его оскорбила. Тем не менее даже тогда, когда я просто на ногах еле держалась от усталости, он почти каждую ночь будил меня. И я опять подчинялась ему. Нет, я, наверное, сама любила его какой-то ужасной, постыдной любовью. Ужасной! Ночной, подлой, рабской.

Две совершенно белые фигуры шли по остекленевшей Девичке. Запорошенной гусеницей полз трамвай за чугунной оградой. Я спала и видела сны.

Небо было забито облаками, как ватой. Тяжелая клочковатая вата висела над сквериком, где она сидела рядом с бескровной голубоглазой старухой, одетой в траур. Быстро темнело. Она взглянула на часы. Шесть. Скоро он придет ужинать. Жизнь постукивала по накатанным рельсам. Душная вата забила небо. Она подхватила смуглую девочку, похожую на цыганку, усадила ее в коляску: «Пойдем, Анечка, скоро папа придет».

Картофельные котлеты стыли на столе под салфеткой. Он не пришел ни в семь, ни в восемь, ни в девять. В десять ей стало страшно. Она ходила по трем большим комнатам со старой дубовой мебелью, сжав виски ладонями и прислушиваясь. У него могло быть срочное задание в *той* части Берлина. Но он обычно знал об этом заранее и предупреждал ее. Второе предположение было нелепым, но она остановилась именно на нем. Женщина. Да, без сомнения. Она перенесла Аню на постель. Прижалась лицом к чернокудрой головке и заснула. Под утро ее разбудил стук в дверь. Двое в штатском — один маленький, с узкоглазым морщинистым лицом, второй — высокий, жилистый, отстранив ее, молча прошли в квартиру. Она с ужасом запахнула халат.

— Ваш муж не ночевал дома? — скорее утвердительно, чем вопросительно сказал первый.

— Нет, — прошептала она. — Нет, нет...

Они спросили, когда он приходил обычно. Она ответила. Высокий жилистый вдруг снял очки и положил их в карман. Голые, без ресниц, немигающие глаза посмотрели на спящую Аню.

— А не заметили ли вы чего-то странного, необычного в его вчерашнем поведении?

9*

Ей удалось перехватить его взгляд, устремленный на ребенка. Маленький морщинистый щелкнул пальцами.

— Мы вас не торопим. Вспоминайте, вспоминайте...

— Что с ним? — выдохнула она. — Где он?

— Вот этого мы пока не знаем. Должен был отчитаться вчера об исполнении важного задания. И не явился. Исчез. Похоже, что без следов. Вот как. Искали и днем, и ночью. Нету муженька вашего. — И он вдруг фамильярно подмигнул ей.

— У нас тут свои подозрения возникли, — вновь заговорил жилистый, протирая очки. — И потому вы нам сейчас ответите на кое-какие вопросы...

Вопросы показались ей странными. Не изучал ли он вечерами какой-нибудь иностранный язык? Нет, не английский. Какой-нибудь восточный? Индонезийский, например? Японский? Не совершал ли длительных загородных прогулок? Насколько сильно был привязан к семье? Наконец она не выдержала:

— Да где же он? Что с ним?

Маленький успокоительно похлопал ее по руке:

— Есть предположение, что муженек ваш бежал. Перемахнул. Фью-ить!

Она вздрогнула. Все что угодно, только не это. Что будет с Аней?

— Не забудьте, это только предположение. Не без оснований, правда. Но вдруг он к вечеру сам объявится? Или в лесу обнаружится тело неизвестного? А? Все может быть...

Облака забили небо. Бескровная старуха с жидкими голубыми косицами равнодушно смотрела, как маленькая, похожая на цыганку девочка возится в песке. Все кончено. Он не придет больше. Бежал. Бежал? А как же Аня? Что будет с Аней? А может быть, он умер? Убит? Может быть, свои же и убили его? Она вдруг вспомнила отца: «Это же свора, душа. Дикие волки. Кобели цепные. Только хитро науськаны. На своих охотнее, чем на чужих, бросаются. Родственной, так сказать, крови жаждут. Вокруг страх сеют и сами дрожат. Сладостная картина. Что молчишь, душа?»

Звон синенького графинчика. Материнское «а-а-ах!».

Ночью она почувствовала его руку. Рука нетерпеливо гладила ее тело, разливая медленный привычный огонь. «Соскучилась?» Влажное жало вползло в ее губы, размыкая их, настаивая. Этим он всегда начинал. «Соскучилась?» Она раскрыла губы, потянулась навстречу. Впереди была пустота. Она тянулась с раскрытыми губами. Рука, гладящая ее тело, вдруг стала бесплотной. Голос отца произнес: «Что молчишь, душа?»

Она раскрыла глаза. Месяц, прозрачный, как лимонный леденец, чудом держался в небе. Еще немного, и он упал бы на ее постель, растекся бы по ней своей холодноватой желтизной. Всё. Он не придет больше. Сбежал. Или умер. Свои или чужие, они убили его. Что будет с Аней?

— Я ждала еще несколько месяцев. Мучилась одна со своими подозрениями. Он мог засыпаться. Он мог испугаться, что засыпется. Сбежать. Или сдаться. И те, и другие могли убрать его. Официально они объявили внутренний розыск и, пока он шел, не выпускали меня. Потом выдали справку: «Считать без вести пропавшим». И выпустили.

Я сплю. Снег идет. Вся Девичка в снегу. Дед явно затаил что-то. Глаза его стали особенно хитрыми. Сашка парил ноги, и бабуля терпеливо ждала, пока он освободит кухню. Девочку пора было купать. В кого этот Сашка такой сибарит, а?

— Лиза, — сказал дед. — Мы должны взять прислугу.

— Прислугу? — ахнула бабуля, округляя глаза. — Какую прислугу?

— Просто прислугу, — твердо повторил дед. — Чистоплотную. Не воровку. Не пьяницу. Чтобы кухарила и помогала с ребенком. По-нынешнему — домработницу.

— Опять за старое, — вздохнула бабуля. — Били вас, били...

Так в квартире 4, доме 4 по Первому Труженикову переулку появилось новое лицо. Ее звали Валькой, и она приехала из Калужской области. Постепенно складывалось впечатление, что дед с бабулей взяли ее на воспитание.

— Да ты ешь, не стесняйся, — ласково говорил дед за завтраком. — Маслом мажь. А то из твоей худобы скоро опилки посыпятся.

Валька закрывала рот ладонью и прыскала.

— Когда смеешься, — вставляла бабуля, — не закрывай рта рукой. Это не принято, некрасиво.

— Не буду, теть Лиз, — покорно соглашалась Валька и пальцем тыкала в синюю тарелку с изображением Наполеона. — Ктой-то?

— Наполеон, Валюша, — вздыхал дед. — Тот самый. А тебе надо в техникум готовиться. Нечего баклуши бить. Образование получать надо.

И принес с работы потрепанную «Историю КПСС». Вечерами, вдоволь наговорившись с подружками по телефону, Валька располагалась на раскладушке за ширмой и сладко, до слез, зевала.

— Ну, давай, Валюша, давай, — подбадривал дед. — Давай, занимайся.

— Ой, дядь Кость, — с хрустом потягивалась Валька. — Умаялась я до полусмерти. В сквере часа три гуляла с коляской, да в магазин сбегала, да вечером на Зубовской ситец давали, всю очередуху выстояла! Платье хочу пошить. А в башку, дядь Кость, ничего не лезет!

— Ну, хоть вчерашнее повтори, Валюша, — упорствовал дед. — Нельзя так. Бездельница!

— Вчерашнее? — удивилась Валька. Шуршали страницы. — А, вот оно: «Конституция — это основной закон...»

— Ты же эту фразу месяц учишь! — не выдерживала бабуля. — Опять Конституция!

— Конституция — это основной закон, — бормотала Валька, засыпая. — Основной закон... Конституция... — И падала на пол толстая книга.

На Наташу было страшно смотреть. Анечка лежала в изоляторе на первом этаже. В инфекционное отделение родителей не пускали. Наташа складывала башенку из битых кирпичей, залезала на нее, прижималась лицом к окну, до середины замазанному белой краской, и не отрывала мокрых обезумевших глаз от заострившегося личика на плоской подушке. Так прошло десять дней. На одиннадцатый Анечки не стало.

— Нет! — кричала Наташа и билась на только что вымытом кафельном полу. — Нет! Не верю! Неправда! Да покажите же мне! Не верю!

На похоронах она не проронила ни слезинки. А когда все было кончено, легла на свежий холмик и замерла. Оторвать ее не могли никакими силами. Тогда дед сказал моей маме:

— Идите. Уведи всех. Подождите нас на улице.

Продрогшие, заплаканные, они долго стояли у кладбищенских ворот, ждали. Наконец она показалась, поддерживаемая дедом под руку. Лицо ее было сильно испачкано землей.

...Папу уволили в начале пятьдесят третьего. Сокращение кадров предваряло большую операцию по борьбе с евреями.

— Да плюнь ты, — успокаивал дед и гладил кудрявый папин затылок. — Пусть подавятся! С голоду не умрем!

— Я молотобойцем пойду, — скрипел зубами папа. — Видели мускулы! — И напрягал бронзовую руку. Мускулы каменели на глазах. — На завод пойду. Сволочи.

— Да, на заводе легко спрятаться, — грустно усмехался дед. — Местечко теплое...

А в марте усатый хозяин умер. Растрепанная Валька голосила на раскладушке. Котлеты сгорели. На улицах была давка.

— Сегодня никто из вас из дома не выйдет. — Дед предостерегающе поднял палец: — Никто.

— Как? — взвизгнула Валька. — Очумели, дядь Кость? А как же проститься?

— Сиди, не рыпайся!

Лицо его было непроницаемым.

...Я лежу на диване со своей любимой куклой. Кукла называется «кореец Пак» и представляет собой желтого узкоглазого мальчика в синих шелковых шароварах. Стук в дверь. Мама пришла!

— Скорей! — шепчет мне бабуля. — Дай маме тапочки!

Когда много лет спустя меня спрашивали: «Неужели ты ее совсем не запомнила?», я всегда отвечала: «Нет, запомнила. Она приходит с работы, и я даю ей тапочки».

...Туман. Молочный туман моей неуклюжей детской памяти, в котором я бреду на ощупь с вытянутыми руками, натыкаясь на собственные сны и чужие рассказы. И вдруг в волокнистом, всей кровью шумящем, горячем тумане мои растопыренные пальцы упираются в нечто плотное, осязаемое, пушистое — мамины домашние тапочки. Красные. Да, было. Да, было!

...Я лезу под диван, достаю тапочки, слышу, как кто-то смеется, потом бегу к ней. Ее я не вижу. Чувствую только невероятную легкость, соединенную с чем-то сияющим, светлым, склонившимся надо мной, теплом коснувшимся моей головы и растаявшим. Господи, какой туман... Я ничего не вижу. Что потом?

...Подушки, гора подушек. Я подхожу ближе, и опять что-то сияющее, большое выплывает мне навстречу. Смеха не слышно.

«Мама больна, — шепчет бабуля. — Пойдем. Мама спит».

Но она не спит. Я отчетливо вижу, как что-то плавное, белое — рука? — поправляет каштановую волну — волосы? — на большой белой подушке. Она не спит. Она сидит, откинувшись, и ей мешают волосы. Опять все обрывается. Молочный, всей кровью шумящий, горячий туман — да, туман, — я бреду в нем...

В коричневом чемодане была отдельно связанная стопка. Она лежала с документами и не представлялась мне особенно интересной. Однажды я ее все-таки развязала. И тут замелькало: «...моя жена... грязное оскорбление, предъявленное моей жене... умершая в марте пятьдесят пятого года... обращаюсь к вам, уважаемый Никита Сергеевич... убежден, что нарушение законности и безобразная клевета, доведшая ее до могилы...»

После Анечкиной смерти прошло четыре месяца. Ляля сидела на низенькой скамеечке у огня. Волосы ее заметно потемнели. Наташа куталась в платок. Снег валил за окном.

— Ты завтра выходишь на работу?

— Да, — сказала Тома. — Немножко страшно. Какие там ковры! И зеркала. Дворец! Нет, правда. Я думала, будет тоскливо, но ничего, приятно даже. Машинистки все в лаковых туфельках. Где они их достают, бог ведает. Привозные, наверное.

— Куда ты летишь, Томочка? — в соседней комнате звякнул синенький графинчик. — В гнездо, в осиное гнездо летишь... А ты не оса, моя деточка, нет уж! Бабочка садовая, шоколадница...

— Она очень хорошо выучила английский, папа, — негромко сказала Наташа, кутаясь в платок. — Она самая способная, даже акцента нет. Они ее взяли за это. И что там такого? Она же не будет иметь к ним никакого отношения, просто переводить на переговорах. Министерство внешней торговли — это ведь не Министерство внутренних дел, не путай!

— В этой стране, душа моя, все дела — «внутренние», «внешнего» ничего нету. И не иметь к ним отношения невозможно. Мы все к ним отношение имеем. Даже я, старый пьяница. Терплю, молчу, следовательно, и отношение имею. Эх, Томочка! Сидела бы дома, с девочкой бы гуляла в скверике...

В скверике под взглядом насупившегося гранитного Толстого я гуляла с Валькой. Валька без умолку болтала с подружками, и, будь я постарше, я легко поняла бы, что происходит у нас в доме.

— Через год буду в техникум поступать, — заливалась Валька. — Не могу я их сейчас бросить. Теть Лиз без меня свалится. Они ведь все ни свет ни заря на работу убегают: Томка в одну сторону, дядь Кость — в другую, а кудрявый — в третью. Его на прошлой неделе обратно взяли книжки переводить. Он у нас все языки знает! Я вот в деревне жила, думала: евреи все синие да старые, как куры инкубаторские. Пальцы, думала, у них скрюченные, того гляди зацапают! Мне бабка Клавдя говорила: «Пуще всего, Валька, жидов бойся! Как завидишь жида, беги без оглядки!» А ведь все, девчат, врут! Наш-то красавец, хризантема. Ей-богу! Два раза на дню холодной водой обливается, Томку нашу любит, страсть! Непьющий, ей-богу! Капли в рот не берет! Одна беда: больно горяч! Как что не по нему, так и подскочит! А отходчивый. Она его по голове погладит, глядишь — и прошло. С той-то, с прежней своей, не ужился, подходу к нему не нашла. А наша — ух, умная! Страсть! Слова поперек не скажет, а все по-своему сделает. Вот уж, девчат, правда: дал Господь голову...

После родов она неожиданно располнела. Вечно опаздывая, бежала на Смоленскую (трамваи ходили редко, и добежать туда было быстрее, чем доехать). Задыхаясь, распахивала тяжелую дверь, предъявляла пропуск. Стряхивала снег с вязаного шарфа. Поднималась в лифте на десятый этаж. Пахло чернилами, бумагой, крепким чаем. Машинистки стучали вишневыми ноготками.

«...Она, — говорит папа и страдальчески морщится, — она была просто влюблена в эту работу. Ей все нравилось: и это двадцатиэтажное уродство с башнями, и беготня, и то, что приходилось все время говорить по-английски. Как она поплатилась за свою суетность!»

Сразу после Нового года был назначен новый начальник отдела.

— Лялька, — она обхватила Лялину голову. — Как я хочу, чтобы ты с ним познакомилась! Такой замечательный! И деликатный. Я почему-то уверена, что он не женат!

«...Она всегда кем-то восхищалась, — папа страдальчески морщится. — Ей вечно надо было кого-то опекать, женить, знакомить! Ужасно! И ты такая же! Вот чего я боюсь!»

«...Мою жену в глаза обвинили в непозволительной связи с начальником отдела товарищем Рыжовым, — читаю я на пожелтевшем от времени листе. — Моя жена (зачеркнуто)... снести незаслуженных оскорблений и (зачеркнуто)... вслед за последовавшим увольнением слегла...»

— Пей молоко! Не помню я ничего! Не хочу я этого помнить! Спроси папу, пусть он тебе расскажет! Если найдет нужным! Пей, пока горячее...

Как же это началось? Откуда мне знать? Я гуляла с Валькой на Девичке, и суровый Толстой сверлил меня глазами.

Задыхаясь, она распахнула тяжелую дверь. Предъявила пропуск. В отделе было как-то слишком оживленно. Машинистки шушукались по углам.

— У Рыжова неприятности. Наверх вызывали.

— Что такое?

— Он вчера на переговорах, Тамарочка, допустил идеологическую ошибку. Сказал, что производство сельскохозяйственных машин все еще не налажено после войны, и...

— Да что же здесь идеологического?

— Как что? Ах да, вы ведь это переводили! И вы ничего не заметили?

— Чушь какая-то! — она вспыхнула. — Где он? У себя?

Он сидел за столом, заставленным телефонами, лицо его было мучнистым и жалким.

— Неприятности у меня, слышали? — Потер виски ладонями. — Два пирамидона принял. Не помогло. Разламывается голова. Да, вот такие дела...

— Но я же переводила это, Дмитрий Степаныч! Я же помню! То, как вы это сказали, звучало совершенно уместно!

— Тамара Константиновна, — он понизил голос, оглянулся затравленно. Она невольно придвинулась ближе, чтобы расслышать. — В том, что меня не сегодня завтра выкинут, я не сомневаюсь. Хуже бы чего не было... Спасибо, что зашли.

Тогда у нее застучало сердце. Я слышу, как оно неистово застучало, ее сердце, в котором дремал тот самый порок, который назывался «скрытым» и никак не проявлялся в этой своей «скрытости», пока не настало его время, пока оно не подошло.

— Что ты так задыхаешься, Томочка? — спросил дед, внимательно всматриваясь за вечерним чаем в ее горящее лицо. — Что ты так волнуешься?

— Но я же рассказываю! Такая несправедливость! И главное: ведь я переводила!

— Ты так возмущаешься, словно имела счастливую возможность привыкнуть к справедливости. Когда же такое бывало?

— Да, но я переводила!

Лицо ее горело, она задыхалась.

Через два дня Рыжова уволили, и маленький вертлявый заместитель в очках-лупах занял его место за столом, заставленным телефонами.

— Но я не могу, не могу с этим смириться! Как же я промолчу? Если бы ты видел, как он уходил! Как побитый! В дверях уронил какую-то книжку. Извинился. И все сидели, не шелохнулись. Боже мой, да ведь так можно убить, ограбить, и никто не пикнет! Что же это такое?

— А ты знаешь, — шептал папа, — чем бы это кончилось, если бы *тот* не умер? Это еще что... Успокойся. Ты не переделаешь этот мир. Спи.

И заснул первым. А она лежала с открытыми глазами, и свет от редких машинных фар плавно скользил по низкому потолку. У нее горело лицо и стучало сердце, а я спала в соседней комнате, и над моей детской кроваткой висел тканый коврик, на котором огненно-рыжая лиса волочила в зубах растрепанного белого петуха, уносила его куда-то за синие леса, за высокие горы, в глубокие норы...

Она написала письмо, которое никто, кроме нее, не подписал. Она хотела наивно восстановить справедливость, которой — разве она не знала об этом? — никогда не бывало. В эти дни она стала ездить на Смоленскую на трамвае, еще не отдавая себе отчета в том, что бегать по улицам ей просто не под силу. Ночами ее мучил кашель. «Простудилась?» — тревожился папа. Через несколько дней ее вызвали к вертлявому заместителю.

— Вы что же это, не разобравшись в ситуации, защитные письма посылать вздумали? Мне товарищи позвонили и настоятельно просили разобраться. Письмо у вас получилось такое пылкое, литературное. Но прямо говорю — пустое. Безосновательное. Проще сказать: нелепое письмо. И я подозреваю, что тут личные мотивы замешаны. А вы знаете...

— Что вы сказали?

— Сказал я то, что всем известно. Наше учреждение не жэк, как вы понимаете, и не контора дровяного склада. Так что вносить в его работу подобную художественную, так сказать, неразбериху мы никому не позволим.

Прямо на нее сверкнули очки-лупы.

— Как вы смеете так разговаривать со мной?

— Что значит «смею»? — Он повысил голос и приподнялся в массивном кресле. — Что значит «смею»?

А вы как смеете прикрывать дурацкими писульками своих любовников, находясь в стенах советского учреждения, а?

Она вылетела, хлопнув дверью. Опустилась на первый стул. Закашлялась. После обеда ее вызвали в отдел кадров. Приказ об увольнении был подписан.

Снег тает. Окна слепнут от солнца. Мы с папой едем в пропахшем бензином автобусе, и я спрашиваю его с негодованием, чувствуя, как сердце разрывает мне горло:

— Но как, как она могла так расстроиться, чтобы заболеть и умереть? Как? Ведь у нее же была я? Разве она не любила меня?

У меня горит лицо, и я задыхаюсь, прижимаюсь носом к автобусному стеклу в весенних потеках.

— Тебе двенадцать лет, — говорит он устало. — А ты рассуждаешь как маленькая. Никто про тебя не забывал. Пока этот мерзкий порядок не затронул ее, ей трудно было представить, насколько он мерзок. Она витала в облаках, и наконец эта подлая дурацкая история открыла ей глаза. Удивительно, конечно! Вырасти в такой семье и на поверку оказаться столь беспомощной, столь наивной. Удивительно, невероятно! Но она действительно переживала настолько сильно, что уже ни о чем другом не могла думать. Она сгорела. Больному сердцу ведь немного надо, чтобы...

Он умолкает. В автобусе пахнет бензином, окна слепнут от солнца.

...Она уже не ходит на работу, и тапочки сиротливо краснеют у постели, на которой она сидит, опираясь на гору высоких подушек и кашляя. Мы с Валькой входим в комнату, где топится кафельная печка и пахнет лекарствами. Мы запорошены снегом и разрумянены. За окнами скребут дворники. Она отводит от лица тяжелую каштановую прядь и спрашивает Вальку:

— Холодно на улице? Она не легко одета?

Похудевшая строгая Наташа входит следом и говорит спокойно:

— На улице чудесно. Тепло и пахнет весной. Хватит тебе болеть!

Она кашляет.

Я леплю снежную бабу. Толстой, как всегда, за мной присматривает. Валька сидит на санках, окруженная подружками, и всхлипывает:

— Томка вчера мне свою шапку каракулевую подарила. Говорит: «Я все равно лежу, а поправлюсь, так зима кончится. Покрасуйся». И подарила. Кашляет, разрывается. Два профессора вчера были. Частники. Дядь Кость за ними на такси ездил. Говорят: сердце.

А кто ж, девчат, от сердца кашляет! Врут, поди, деньги вымогают! А я выскочила на заре в сортир, смотрю, в кухне на табуретке дядь Кость сидит, голову обхватил руками и плачет. Боимся мы. Ужинать сядем, и кусок в горло не идет. Завтра последний анализ сделаем и решать будем, в больницу класть или чего...

Старенький сухой доктор с печальным еврейским профилем долго отряхивал снег с калош. Величавая Катя проплыла в свою комнату с блюдом кривобоких пышек.

— Позвольте мне вымыть руки.

Он печально приподнял брови и прошел на кухню. Папа шел за ним с полотенцем. От волнения акцент его опять усилился.

— Она очень переживает одну отвратительную служебную историю. Она слегла от нее. Я вас прошу: поговорите с ней как специалист, объясните ей, что...

— Мы от жизни не лечим, голубчик, — скорбными глазами он посмотрел прямо в папины, испуганные. — А от такой жизни тем паче...

Она кашляла, а он слушал, выстукивал, считал пульс и хмурился.

— Меня сегодня утром участковый симулянткой назвал, — и она рассмеялась, отводя каштановые волны с лица. — Сказал, что мне болеть просто выгодно. Интересно, почему мне это выгодно?

— Хамы... — он улыбнулся ей. — Не обращайте внимания. Нельзя принимать все так близко к сердцу. Оно этого не любит.

...Как он уцелел, этот старенький сухопарый доктор, единственный из всех понявший, как серьезно она больна, как он, с его скорбным карим взглядом, дотянул до относительного благополучия пятьдесят пятого года?

«Только один человек, не профессор даже, просто врач из клиники, заподозрил то, что потом подтвердилось на вскрытии, — папа страдальчески морщится. — Он только что вернулся из лагеря, только что был допущен к работе. Маленький такой старик, еврей. Он очень хмурился, осмотрев ее, и сказал нам...»

Что он сказал?

Они стояли вокруг стола — дед, бабуля, папа — и ждали. Он хмурился и думал. Потом произнес:

— Тяжелое положение. И надо в больницу. Срочно, немедленно. Странно, что ее до сих пор не госпитализировали. Позвоните мне утром на работу, я попробую завтра же положить ее к себе. Боюсь, что нужна операция.

Печально посмотрел в папины запрыгавшие зрачки:

— Вы не оставляйте ее одну ночью. Подежурьте. Чтобы не пропустить, если что...

Ночью она умерла.

Туман. Я бреду в нем с сухими глазами. Я одна. Ее нет. Я пробираюсь к ней сквозь сомкнутые годы, и все повторяется: туман, туман, туман, гора белых подушек, красные тапочки, свет...

«...моя жена не была больным человеком в прямом смысле этого слова... За три года до своей скоропостижной кончины она легко и благополучно родила совершенно здорового ребенка...»

Мы с папой едем в автобусе. Солнце слепит.

— Скажи мне только: если бы не *это*, она жила бы?

У меня перехватывает дыхание от невыносимой мысли: если бы не *это*, она бы...

В церкви было много народу. Любопытные старухи с вытекающими глазами толпились в дверях, перешептывались:

— Молодая совсем. Годков двадцать пять будет. Замужняя. Вон мужик-то ее. Кудрявый! О-ох! От судьбы не уйдешь!

А я? Я гуляла с распухшей от слез Валькой, ничего не зная. Я лепила снежную бабу из последнего мартовского снега, пока ее отпевали и прощались с нею. Я искала в колючем сугробе свою лопатку, пока папа, не отрываясь, смотрел на ее изменившееся лицо. Ночевали мы с Валькой у знакомых.

— Ангел, ангел и была, — мрачно говорила Матрена на кухне. — А ангелов Бог завсегда к себе береть. Они ему там сподручнее... А здеся чего? На нехристев вкалывать, прости, Господи, меня грешную!

Да. Но почему одновременно с мамой исчезли из моей жизни и Ляля с Наташей?

— Я останусь здесь сегодня. Переночую, — сказала Ляля неподвижной, совершенно черной Наташе.

Поминки кончились. Они вымыли посуду, протерли пол.

— Иди домой. Я останусь.

И Наташа ушла. А Ляля осталась. Она легла на раскладушке в комнате, вскоре переименованной в «папину». Из маленькой, смежной, в которую скрылись дед и бабуля, не доносилось ни звука. Папа молчал, а она рыдала, вжимаясь в подушку. Потом стала успокаивать его, хотя он молчал.

— Я все время буду с вами, — рыдала она. — Мы ее вырастим! Мы ее вырастим так, как если бы Томка была жива. Я буду с вами, ты слышишь? Кто мне дороже на свете?

Под утро она заснула. И проснулась от дверного скрипа. В матовой рассветной белизне стояла моя бабуля, одетая так же, как накануне, а за ее плечами, наглухо застегнутый, стоял дед, и они были похожи на две вытянутые бесплотные тени.

— Ляля, — сказала бабуля ровным голосом. — Иди домой. Я не могу вас видеть: ни Наташу, ни тебя. Ее нет, и мне никто не нужен. Я справлюсь сама. Она приходила ко мне и просила не оставлять девочку. Она приходила ко мне сегодня ночью. Я не спала. Я обещала ей. И мне никто не нужен. Я не хотела жить, но она плакала и умоляла меня. Значит, будет так, как она хочет. Иди, Ляля. Я не могу вас видеть: ни Наташу, ни тебя.

Повернулась и ушла. И дед, не проронивший ни слова, приблизился к Ляле, поцеловал ее в потемневший пробор и ушел тоже.

Какой снег! Мир расползается под моими варежками, как намокшая вата. Взъерошенный воробей в белой наколке перепрыгивает с ветки на ветку. Голоса кажутся мягче, медленнее и увязают в слепящем белом месиве вместе с моими валенками, воробьиными лапками, папиными остроносыми башмаками. Мы спешим в театр. Разве, умирая, я посмею сказать себе, что не была счастлива в этой жизни, на шестом году которой было воскресное утро, заваленное снегом, и новое платье с кружевным воротником, и красный бархат ложи, куда мы вошли, как всегда опаздывая, когда уже погасили свет, и поэтому я не обратила никакого внимания на просиявшую улыбкой чернобровую красавицу, повернувшую голову нам навстречу?

Дети бредут по сцене в поисках Синей птицы. Мне интересно, только немножко неприятно, что их умершие дедушка и бабушка разговаривают с ними как живые, расположившись на куске плотного белого кружева, отдаленно напоминающего облако. Мои дедушка и бабушка живы, никогда не умрут и ждут меня дома. В театре тепло, темно, пахнет духами и апельсинами. Мое новое платье с кружевным воротником — самое красивое на свете.

Зажигается свет. Антракт. Чернобровая худая красавица с мокрыми от застывших слез сияющими глазами целует меня и крепко прижимает к груди мою голову. Папа напоминает мне, что ее зовут Наташа. Она, не отрываясь, смотрит на меня — радостно, жадно, словно не может насмотреться. Потом мы идем в буфет, и глаза мои разбегаются от разноцветных пирожных. Нет, лучше шоколадку. Со сказками Пушкина. Там, где все на обертке: и дуб с цепью, и старик с неводом, и Людмила в кокошнике, и говорящий кот...

А потом мы едем, нет, плывем сквозь медленную белизну, сквозь печальный печной дым, сквозь стеклянные деревья, мы плывем и приплываем в большую полуподвальную комнату с белоснежной занавеской на окне, с круглым столом под белоснежной скатертью, который ломится от пирожков, конфет, чашек, чашечек и вышитых салфеток с голубками и незабудками. Вокруг стола суетятся две полные сырые старухи, похожие на уток, и кудрявая, круглолицая, смешная женщина, которая, едва увидев меня, бросает все, зацеловывает мою холодную заиндевевшую голову в капоре и так же, как Наташа, прижимает ее к груди. Мы пьем чай, и я внимательно разглядываю эту комнату с ее фотографиями на стенах, темным скрипучим буфетом, соломенным креслом, из которого торчат прутья...

Я ем булочки, а все эти женщины, не отрываясь, смотрят на меня, и у сырой старухи, похожей на утку, смешно краснеет кончик носа и по щекам ползут слезы...

— Дай Бог, чтобы у тебя были такие подруги, — сурово говорит бабуля и бережно заворачивает фотографии в папиросную бумагу. — Опять ты молоко не пьешь! Пей, пока горячее...

СОДЕРЖАНИЕ

Литературно-художественное издание

ВЫСОКИЙ СТИЛЬ
ПРОЗА И. МУРАВЬЕВОЙ

Ирина Муравьева

ЖИЗНЕОПИСАНИЕ ГРЕШНИЦЫ АДЕЛЫ

Ответственный редактор *О. Аминова*
Литературный редактор *В. Хорос*
Выпускающий редактор *А. Дадаева*
Художественный редактор *А. Стариков*
Технический редактор *Г. Романова*
Компьютерная верстка *О. Шувалова*
Корректор *О. Степанова*

В оформлении обложки использован рисунок *В. Еклериса*

ООО «Издательство «Эксмо»
127299, Москва, ул. Клары Цеткин, д. 18/5. Тел. 411-68-86, 956-39-21.
Home page: **www.eksmo.ru** E-mail: **info@eksmo.ru**

Подписано в печать 05.09.2012.
Формат 70x108 $^{1}/_{32}$. Гарнитура «Таймс».
Печать офсетная. Усл. печ. л. 12,6.
Тираж 8000 экз. Заказ № 6851

Отпечатано в ОАО «Первая Образцовая типография»,
филиал «УЛЬЯНОВСКИЙ ДОМ ПЕЧАТИ». 432980, г. Ульяновск, ул. Гончарова, 14

ISBN 978-5-699-59392-7

Оптовая торговля книгами «Эксмо»:
ООО «ТД «Эксмо». 142702, Московская обл., Ленинский р-н, г. Видное,
Белокаменное ш., д. 1, многоканальный тел. 411-50-74.
E-mail: **reception@eksmo-sale.ru**

По вопросам приобретения книг «Эксмо» зарубежными оптовыми покупателями
обращаться в отдел зарубежных продаж ТД «Эксмо»
E-mail: **international@eksmo-sale.ru**

International Sales: *International wholesale customers should contact Foreign Sales Department of Trading House «Eksmo» for their orders.*
international@eksmo-sale.ru

По вопросам заказа книг корпоративным клиентам, в том числе в специальном оформлении,
обращаться по тел. 411-68-59, доб. 2299, 2205, 2239, 1251.
E-mail: **vipzakaz@eksmo.ru**

Оптовая торговля бумажно-беловыми и канцелярскими товарами для школы и офиса «Канц-Эксмо»:
Компания «Канц-Эксмо»: 142700, Московская обл., Ленинский р-н,
г. Видное-2, Белокаменное ш., д. 1, а/я 5.
Тел./факс +7 (495) 745-28-87 (многоканальный).
e-mail: **kanc@eksmo-sale.ru**, сайт: **www.kanc-eksmo.ru**

Полный ассортимент книг издательства «Эксмо» для оптовых покупателей:
В Санкт-Петербурге: ООО СЗКО, пр-т Обуховской Обороны, д. 84Е.
Тел. (812) 365-46-03/04.
В Казани: Филиал ООО «РДЦ-Самара», ул. Фрезерная, д. 5.
Тел. (843) 570-40-45/46.
В Самаре: ООО «РДЦ-Самара», пр-т Кирова, д. 75/1, литера «Е».
Тел. (846) 269-66-70.
В Екатеринбурге: ООО «РДЦ-Екатеринбург», ул. Прибалтийская, д. 24а.
Тел. +7 (343) 272-72-01/02/03/04/05/06/07/08.
В Новосибирске: ООО «РДЦ-Новосибирск», Комбинатский пер., д. 3.
Тел. +7 (383) 289-91-42. E-mail: **eksmo-nsk@yandex.ru**
В Киеве: ООО «РДЦ Эксмо-Украина», Московский пр-т, д. 6.
Тел./факс: (044) 498-15-70/71.
В Донецке: ул. Артема, д. 160. Тел. +38 (062) 381-81-05.
В Харькове: ул. Гвардейцев Железнодорожников, д. 8.
Тел. +38 (057) 724-11-56.
Во Львове: ул. Бузкова, д. 2. Тел. +38 (032) 245-01-71.
Интернет-магазин: www.knigka.ua. Тел. +38 (044) 228-78-24.
В Казахстане: ТОО «РДЦ-Алматы», ул. Домбровского, д. 3а.
Тел./факс (727) 251-59-90/91. RDC-Almaty@eksmo.kz

Полный ассортимент продукции издательства «Эксмо» **можно приобрести в магазинах «Новый книжный» и «Читай-город».**
Телефон единой справочной: 8 (800) 444-8-444.
Звонок по России бесплатный.

В Санкт-Петербурге в сети магазинов «Буквоед»:
«Парк культуры и чтения», Невский пр-т, д. 46. Тел. (812) 601-0-601
www.bookvoed.ru

Интернет-магазин ООО «Издательство «Эксмо»
www.fiction.eksmo.ru
Розничная продажа книг с доставкой по всему миру.
Тел.: +7 (495) 745-89-14 . E-mail: **imarket@eksmo-sale.ru**